ママと子どもとお金の話

Financial conversations for a mother and child.

This is for you, who thinks she cannot raise a child without money.

うだひろえ

監修＝泉 正人
ファイナンシャルアカデミー代表

新屋真摘
(株)エフピーウーマン

SANCTUARY BOOKS

はじめに

前作「誰も教えてくれないお金の話」を描き終えてから数ヶ月後。
妊娠がわかりました。

「親になる」ことに直面してみて、初めてわかったこと。
不安、気づき、新たな発見…。たくさんありました。

妊娠出産でかかるお金のこと、必要な手続き、知らなきゃ損すること。
子どもにかかるお金、一体いくらかかるのか。
親にもしものことがあったら、残された子どもに何をしてあげられるのか。
一体何にお金をかければ、子どもをしっかり育てていけるのか。
仕事をしながら、家事育児はできるのか。
親として、どんな風に、お金と付き合っていくのか。

そもそも。
お金がないと、子育てできないのか。

今回、私は、子どもを抱えながら、
「ママと子どもとお金の話」を巡る旅に出ました。

そして旅の途中、同じ悩みを抱えるママ友（戦友?!）とも多く出逢いました。
この本は、私が子育てをしながら感じた 不安や疑問を「正直」に描いたつもりです。

これから出産されるママ、いま子育て真っ最中のママ、
将来的に子どもを産みたいと考えている 未来のママ達の
励みになってくれたら幸いです。

うだひろえ

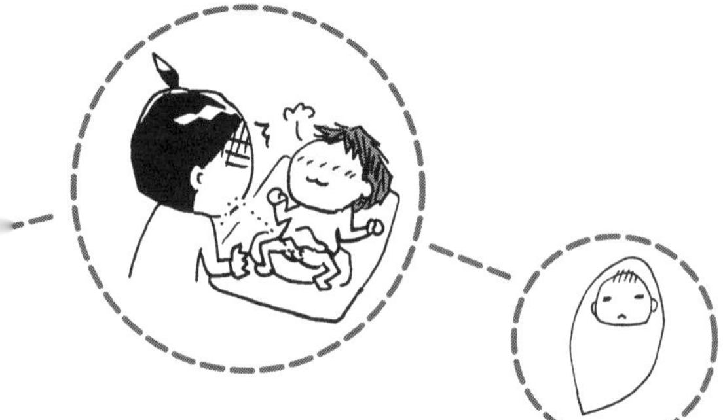

Contents

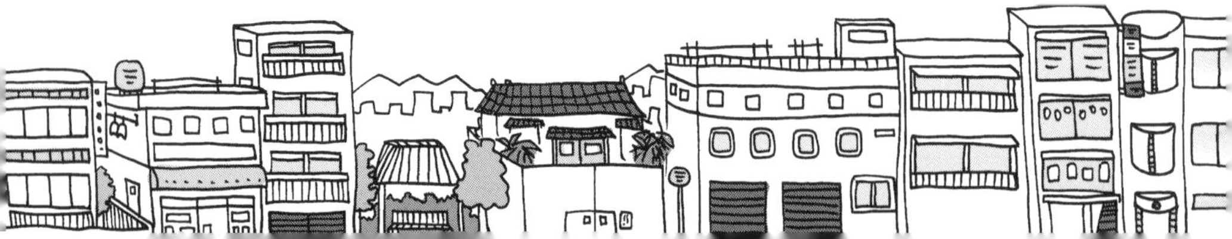

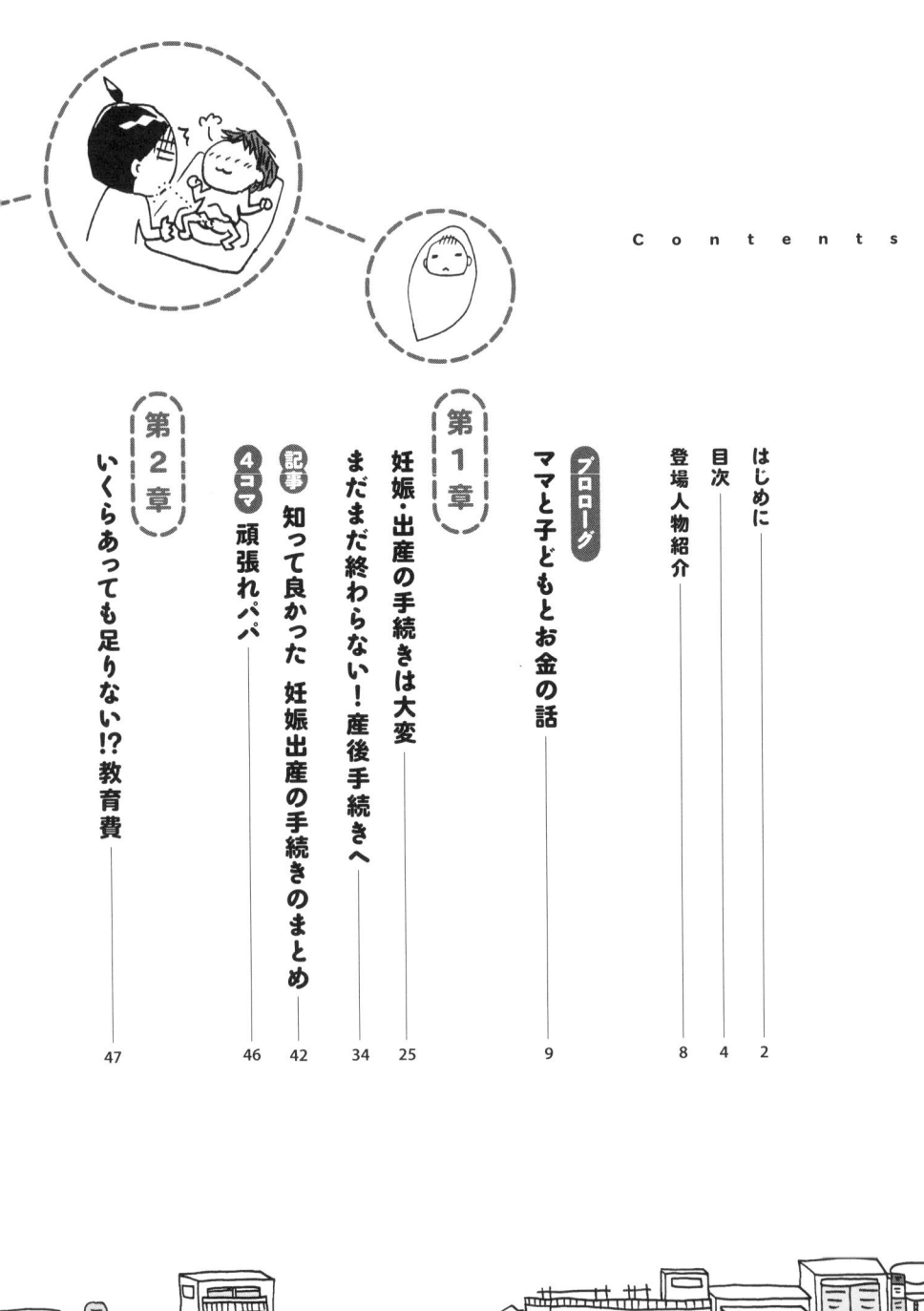

第4章

第5章

第6章

登場人物紹介

characters

モモヨママ

桃代
Momoyo

専業ママ。
根っからの
不安症のため2つめの
子ども保険を検討中。

うだ
ひろえ

うだひろえ
HIroe Uda

主人公　35才。
主婦兼イラストレーター
在宅ワーク＆
育児に挑戦中。

ミキママ

美貴
Miki

出産を機に
退職したママ。
しかし、家庭の事情から
再就職することになる。

ムツコママ

睦子
Mutsuko

産休育休を
取得して
元の職場に
復帰するママ。

うだ夫

旦那
Danna

4年前に脱サラして
カフェ経営。
現在は
イクメンを目指す。

泉正人さん

泉さん
Izumisan

2児のパパ。
ひろえの
子育てに
光をあてる。

新屋真摘さん

新屋さん
Shinyasan

ママ達がお金に
振り回されない
ようにFPの
立場から助言。

マダム

マダム
Madam

カフェの常連客。
困ってる人を
ほっとけない
面倒見のよい性格。

カヨコ

佳世子
Kayoko

先輩ワーキング
マザー。
日々たくましく
子育て中。

プロローグ　ママと子どもとお金の話

ホギャア

２０１１年……
私は男の子を出産しました。

ホギャア

ホギャア

ホギャア

はー……
ホギャア
私たち本当に親になれたんだねー
ほんぎゃあ
ホンヘア
そうだね…ひろえおつかれさま
この子のためにも仕事がんばらなくっちゃね……！
イラストやマンガを描く仕事をしているうだひろえと……
オレも店の経営がんばるよ！もちろん育児もやるしね！
目指せイクメン！
小さなカフェを経営する夫
私たちは結婚してからずっと日々の生活で手一杯
子どものことなんて考えられずにいました

※前著「誰も教えてくれないお金の話」より

働いても働いてもお金がなくて…不安がピークに達したとき……
正しい節約
お金の本当の価値
住宅ローンや
保険や年金……
お金との
正しい
付き合い方
など……
おねーちゃん！
つもり節約に
なってるわよ！
もしもの時に
必要な額は
いくらですか？
知識を得て
お金の不安を
取りのぞいて
いこう
家計の
資産と負債
を把握
しなさい
買える額と
払える額は
違うだろ
お金について
たくさんの
ことを
いろんな人から
教わり……
やっと
お金と
怖がらず
向き合えるように
なれたかも……
と思えた時
この子を
授かったの
でした……
すやすや

……私
この子にはお金で苦労させたくないな……
もちろんだよ! 今日から がんばろう それが親のつとめだよ
うん 私たちもう親だもんね…
うん がんばろうね……

4カ月後……
いやー 4カ月間 育児 お疲れ様 ですっ!!
カンパーイ!!
ノンアルコールビール
ただ今の時間 貸切 14°～16°
本当 〝お疲れ〟 だったわー
ねー ずっと 寝不足 よ～
でも こうして 外食できる なんて 夢のようだわ!
同じ病院で出産したママ友＆赤ちゃんたち
お客の少ない 昼のこの時間は 貸切に しちゃったんで☆ 気兼ねなく くつろいで ください!
赤子泣いても大丈夫!
僕でよかったら お子さん抱っこ させてもらうので ゆっくり 召し上がって くださいね
やったー♡

授乳ケープ
ーーフゥ…
でもホント…こんな大変だとは思わなかったですよねー……
あはは子どもは可愛いんだけどねー
ウチはご覧のとおり自営業なのでこの子を養っていけるか不安ですしね……
赤ちゃんと一緒に暮らすまで私……自宅で育児しながら仕事できると思っていたんです……
ねんねよー
ねむれー
ハハは仕事するのよー
やっと…寝た……よし!!
…すーー…
これでやっと仕事できる……静かに静かに…!!
そぉ～っと
そぉ～～っと
チョン…
うにゃああああ
しまった!
背中の赤子泣き泣きスイッチさわっちまったーー!!
赤子泣き泣きスイッチ
このへんにある
置かれるとON

どうにもならなくなった時に三河から実母に来てもらってなんとかなったんだけど……
たすかったー
ハイハイ
は？毎週来てほしい？
無理に決まっとろーが！
平日仕事して土日に横浜来るなんざこの歳でどんだけ大変か！
仕事なん産後は休みゃいいだらー
いくら孫がかわいくともね
WM《ワーキングマザー》歴33年！
そんなぁぁ
やっぱ家で仕事するのって無理だったのかな……？って
でも働かないと収入がダダ減りだよー
自営業の辛いトコロです
アアアアア
ウチだって不安だよー
昨日も旦那とモメちゃったもん
ママ友の美貴《みき》さん
えーっなんで？子どものこと？

妊娠がわかった時は
子どものために仕事辞めて育児に専念してくれ！僕が養うから!!
って言ってくれて
8年働いた会社を退職したんだけどね…
いいママになるぞー♥
辞表
先日……
最近帰り早いのね
娘お風呂入れてくれて助かるけど
ああ……残業減ったからね……
……そうなんだ……
それってもしかして収入減…？
ねぇ
いつまで仕事休むのかなー？
!?
いつまでって……子育て終わるまで育児に専念しろって……
それで会社は辞めたのよ…
僕もそうして欲しいけどさ…でも実際やっぱしキビシイよね…
景気よくならないし
……な!!
たしかに夫の給料だけに頼って子どもを育てていけるかものすごく不安だけど

でもそうなると
職探しに
保育園探し
手続きとか
山ほどある
わけだけど
育児も
家事も
こなしながら
……
それを
するなんて
想像できない！
はあ…
……
も～
保育園
ハローワーク
子どもの
教育費って
プレッシャー
ですよね…
うんうん
私なんて
妊娠中に
学資保険
入っちゃい
ましたよ
ママ友の
桃《もも》代《よ》さん
えーもう!?
早いですね！
私はもともと
子どもが
できたら
育児に
専念したくて……
妊娠がわかってすぐ
派遣の事務仕事は辞めたんです
そして妊娠中のある日
街中で学資保険
ののぼりを見ていたら
こどものための
学資保険
戻り率
120%

何カ月ですか——？
7カ月です
もうすぐじゃないですか
それじゃ　お子様の教育費のことはもうお考えになられてますか？
えっ!?
まだです……
てかまだ産まれてないよ
今は妊娠中から準備される方もいらっしゃるんですよー
加入が早い方がオトクですし
お子さんの教育費私立の学校に通わせた場合おいくらくらいかかるかご存知ですか？
HOW much?
それまで教育費のことなんて考えたことがなかったからショックだったわ
でもねまだ不安なの
保険証書
月々1万ちょい払って18年後に300万くらいになるんだけど
教育費ってもっとかかるんだよね……？

子ども1人がオール私立に通った場合は二〇〇〇万円近くかかるんですって……
キャー
つらくてもやっぱり働いた方がいいのかな——？
待って！働いてたって不安なのは同じよ
ママ友の睦子《むつこ》さん
私はもう10年メーカーの企画部でバリバリ働いてきたの
ちなみに夫は大学の講師（教授の下の下）で収入はアテにならないんだよね
目指せ教授!!
今は育休中だからこの間にスキルアップしよう!って思ってたんだけど……
どん!
オギャー
オギャャギャ
オーギャ
ミルク　ミルク
だっこ　だっこ
無理だったわ
積ん読…
ホコリ

だからもう4月には復帰してがんばるつもりなんだけど
早く職場に戻るぞー!!
保育園入れるかどうかわからないし…
入れても保育料高いし…
時短勤務になれば収入減るし……
保育園
OFFICE
CUT!
そら少子化にもなるわ
こんな状態で子どもの教育費何百万何千万も用意なんて
できるわけなくない?
アハハハハ
ハ〜〜…
そっか…
子育てのお金で悩んでない家庭なんてないよね……

バリバリ
キャー
でも保育料が〜〜
私はやっぱり子どもを保育園に入れて仕事すべきなのかなー……
送り迎え
家事も
仕事も
子育てしながら仕事も家事もできるのかなー？
こども保険
こどもの医療付プラン
ボーナス付積立保険
パパの生命保険短期払込
貯蓄型こども保険
子どものためにもっといろんな保険に入った方がいいのかな？学資だけじゃなく…
フルタイム
残業
昇進
昇給
出張
土日出勤
どれだけ働いて稼いだら子どもの未来……可能性……満たしてあげられるんだろう……？

どよ〜〜ん!!…
そ…そうだ!こないだベビー服のかわいい店見つけたんですよー
へー……そうなんですかー……
みなさんで行ってみたらどうですかー?
それよりもこの難題を解決してくれまいか…
しっかしまあ……
どこの家庭も悩んでるんだよね〜
特に皆初めての育児だしね

それぞれ
家庭の事情も
あるから
一概にコレ！って
いう正解もないしね
ムズカシイよねー
正解があったら
誰も苦労しないよ
私たちは……
この子にちゃんと
やりたいこと
やらせてあげられるのかな
ガラガラ
じったん
ばったん
さしあたっては
お金よね……
とにかく
がんばって
お金を貯め
なくちゃ!!

きっとこの能力が役立つ日が来るはず…！

うだちゃん久しぶりー
2ヵ月ぶりかー
区役所主催
離乳食講座
生後6ヵ月～
ウチはもう来月から仕事復帰&保育園よー
育休あっという間だったわ
睦子さんもう復帰ですか大変ですね……
多少は不安だけど…まあ…なるようになるかなーって
6月 離乳食講座
あー
ただ…せっかく知り合えたママ友達となかなか会えなくなるのは寂しいかな～

※ 名称は各自治体によって異なります

※母子手帳……子どもの検診の結果や予防接種の履歴を病院で記載してもらうので、出産後も重宝します。
※妊婦健診費用の助成……必ずしも無料券をもらえるわけではなく、各自治体によって助成の方法が異なります。（窓口負担で後日請求する方法や、定額助成で差額を自己負担する方法など）妊婦健診費用の目安は1回５千円前後。高額になる場合は1万2千円〜1万5千円。

妊娠中の手続き
私は会社勤めだったから
職場での手続きも
あったのよね
育児休業給付金を雇用保険へ申請
出産手当金を健康保険へ申請
産休育休を取る場合は必ず職場と総務部に相談すること
OFFICE
働くママの手続きは大変そう…
まあね
でも
ちゃんと申請
しないと
もらえない
お金だから
頑張ったわ
大事!!

知って良かった 出産手当金

出産後も仕事を続ける予定のママのために支給されるお金。
産休中（産前42日～産後56日）に給与が出ないママの収入援助が目的です。

いくら支給される？

勤務時の月給の約3分の2

計算方法

月給÷30＝日給（標準報酬日額）

「日給」×3分の2×産休した日数

※ 月給は、基本給に各種手当、残業代なども含みます。毎年４～６月の平均給与額を月給（標準報酬月額）としています。

どんな人がもらえる？

勤務先の健康保険に加入しているママ。

（会社員・公務員）

手続きの流れ

1 産休前に申請用紙をもらう

勤務先または健康保険組合・協会けんぽ・共済組合で「出産手当金支給申請書」をもらう。

2 産後入院中に担当医に書いてもらう

赤ちゃんが生まれたら医療機関の担当医に「出産手当金支給申請書」の必要事項を記入してもらう。

3 勤務先の担当部署に提出

担当医に書いてもらった申請書を職場の健保窓口担当者に渡す。勤務先が書く欄もあるので、それを記入してもらい各健保組合へ申請。１～２カ月後に指定した口座に振り込まれます。

※ パート勤務でも勤務先の健康保険に加入している場合はもらえます。

知って良かった

育児休業給付金

出産後も仕事を続ける予定のママに支給されるお金。産後56日から原則1才になるまで（事情があれば最長1才6カ月まで）の収入を援助。

いくら支給される？

休業前賃金の４割（当面は約5割）。（ただし、支給額の上限は21万４６５０円に設定されている）

どんな人がもらえる？

雇用保険に加入していて、育休前の２年間のうち、11日以上働いた月が12カ月以上ある人。また育休中に、勤務先から給料（休業前賃金の８割以上）をもらっていないこと。１カ月ごとに休業日数が20日以上あること。

手続きの流れ

1 勤務先に育休予定を伝える（産休前）

「育児休業給付受給資格確認表(初回分)」「育児休業基本給付金支給申請書」を受け取ります。

2 必要事項を記入し勤務先に提出（育休1カ月前）

「育児休業申出書」とあわせて、先ほどの書類に必要事項を記入して担当窓口に提出。

3 追加申請を2カ月ごとに行う（育休中）

勤務先の担当窓口が産休明けに雇用保険に各種書類を提出。２カ月ごとに給付金が振り込まれるようになります。育休給付金は2カ月ごとの追加申請が必要ですが、育休期間をどれくらい取るか、など勤務先の担当窓口と意思疎通していれば代わりに申請してもらうことが可能。

知って良かった

出産を機に退職したけど将来的には仕事したいママのための制度

失業給付金の受給期間延長

失業給付金は本来、再就職をするまでの一定期間、生活をサポートするために支給されるお金です。通常、受給期間は退職をした翌日から1年以内になりますが、出産を機に退職したママは再就職活動ができません。そのため、失業給付金の受給期間を最長で4年まで延長することができます。

手続きの流れ

1 離職票を受け取る

勤務先の雇用保険の担当窓口から「雇用保険被保険者離職票」をもらう。

2 ハローワークで延長手続きをする

退職後31日目から1カ月以内に、離職票、印鑑、母子手帳を持って、ハローワークで延長手続きをする。（代理・郵送も可）

3 失業給付受給の手続き

働ける環境が整ったら、ハローワークに失業給付受給の手続きを行う。

※育休中は申請すれば健康保険や厚生年金の支払いが全額免除されます。免除期間は最長で子どもが３才になるまで。産休中も法改正により、社会保険料の支払いが免除になるようになりました。

おお！
私とは妊婦経験値の差がかなりありそうデス!!
そう？
まあ産休育休は会社によっては馴れてない所もあるから自分でやらなきゃいけないことも多いしね
お腹が大きくなってきたら…妊婦歯科健診とか母親学級とかあったね…
区役所
私は限度額適用認定証の申請にも来たな
限度額適用認定証をゲット！
国民健康保険限度額適用認定証
知って良かった
高額療養費制度
この制度は、1カ月の医療費が定められた「自己負担額」を超えたら、健康保険から超過分を払い戻される制度です。本来、妊娠出産は適用外ですが、妊娠出産における医療トラブルの種類によっては払い戻しの対象になります。
限度額適用認定証を医療機関の窓口で提示すれば、自己負担額以上の金銭を請求されることはなくなります。
どんな人がもらえる？
どんな種類の健康保険でも対象です。

申請先
国保は市区町村役場へ
区役所
私は国民健康保険だから
役所の保険年金課で
手続きしてもらえました

申請先
健保は勤務先の担当窓口へ
OFFICE
私は職場で手続き
してもらったわ

知って良かった

妊娠出産で保険適用される主な医療トラブルは…

妊娠中

つわり（重症妊娠悪阻）
切迫流産／流産
子宮頸管無力症
妊娠高血圧症候群
切迫早産／早産
前期破水
さかごや前置胎盤などの超音波検査
児頭骨盤不均衡かどうか調べるＸ線撮影

出産入院中

微弱陣痛などのため陣痛促進剤を使用
止血のための点滴
吸引分娩
鉗子分娩
帝王切開
医学的対応の場合の無痛分娩の麻酔

保険適用されるかどうかは医師会や厚生労働省が決めた基準にのっとって決められます。適用になるかならないかで支払う金額はかなり変わってくるので、退院の際の精算で慌てないためにも事前に窓口で確認しておいたほうがよいでしょう。

でも結局
使わないことも
あるわよね
もしもの時のための
お守りみたいな
もんですよね

でも　私は後々
もらっといて
よかった～と
思うことに
なりました…
詳しくは後ほど！

私も妊娠中に大ピンチのときがあったわ～
産休に入るまではバリバリ働くぞーって残業もしまくってたら…
バリバリバリ
8ヵ月の頃…
痛ッ!?
切迫早産で強制入院2週間!
し…仕事に行かせてください
健診とか手続き関連で有給使い切っちゃって
これ以上休んだらお給料減っちゃうんです……!
今は赤ちゃんのためにも絶対安静です!
うう…
睦子さん!会社勤めされてるなら今回のようなケースは傷病手当金の対象になりますよ
申請されたらどうですか?
へっ
知って良かった
傷病手当金
勤務先の健康保険に加入している被保険者が病気やケガに見舞われた場合に生活費を補償するための制度です。給料の3分の2が最長で1年半支給されます。

恥ずかしながら
それまで
こういう制度が
あることも
知らなかったから
助かったわ

どんな場合もらえる?
勤務先の健康保険に加入していて、連続4日以上休んだ場合。もらえる金額は、日給(標準報酬日額)の3分の2×(連続して休んだ日数−3日)で計算する。
(産休中にトラブルに見舞われた場合は出産手当金が優先されます)

手続きの流れ
1 勤務先に報告
安静または入院が必要なことを勤務先に報告。勤務先によっては診断書が必要な場合もある。
2 申請書を手に入れる
「傷病手当金支給申請書」を健康保険組合などのHPからダウンロードして入手。担当医に診断内容を記入してもらう。入金口座を指定する。
3 担当窓口に提出
勤務先の健保窓口担当者に提出する。健保への申請は窓口担当者がするのが一般的。１〜２カ月後に指定口座に入金される。

その他妊娠中のもしも

生命保険・医療保険に加入している場合
もしも自分が生命保険・医療保険に加入していたら、その契約内容をチェックしてみましょう。これらの保険では、手術だけでなく入院給付金、通院給付金が出る保険があります。正常分娩の入院は対象外ですが、トラブルがあった場合は、保険金が出ることも。申請漏れがないようにしましょう。
保険証書

里帰り出産の場合
妊娠中の健診は、自治体が交付した助成券を使って地域の病院で健診を受けるのが一般的ですが、里帰り出産の場合は、その助成券が使えません。しかし、多くの自治体で、領収書と未使用の助成券があれば払い戻しに応じてくれるので、里帰り出産する場合は、各自治体のHPで助成内容をもう一度確認を。

そしていよいよ
出産の時。。。

早くドクター呼んでっ
酸素送って
う゛〜〜っ
ダンナさんと連絡はっ!?
オペ室開くのいつ〜!?

赤ん坊の心音が止まって緊急帝王切開になった私……
いたたたたたたい
だんなさん同意書にサインを!!
は、はいっ!?

腹切られたけど無事産まれました
ちっせー
私の出産は帝王切開になって保険適用となりました……限度額認定証をもらっておいてよかった…
そして怒濤の産後手続きへ…
ホギャー
まず出産育児一時金
子ども1人につき基本42万円支給。
加入している健康保険や自治体によっては付加給付がある場合もあります。
私は直接支払制度を使いました
健康保険
42万
病院
直接支払制度とは
国保・健保から産院へ直接「出産育児一時金」を支払う制度。分娩費用が支給額より安かった場合は、差額が指定口座に振り込まれます。
産まれたて
産後入院中に書類記入しただけです
わざわざもらう手間もなく助かりました
私の場合、保険適用だったこともあり、分娩費用は他の方よりも安くすみ（42万円ー分娩費用）の差額分を後ほどもらえました
会計の人
出産育児一時金の申請先
勤務ママ
ママの勤務先の健康保険の担当窓口へ申請します。
出産を機に退職ママ
パパの健康保険の扶養枠に入った場合は、専業ママと同じ。国保に入った場合は、自営ママと同じ。披保険期間が1年以上あり辞めてから6カ月以内なら退職前の健康保険に申請することもできます。
専業ママ
パパの勤務先の健康保険の扶養枠に入っている場合は、パパの勤務先の担当部署に申請します。
自営ママ
居住地の市区町村の国保窓口へ申請します

残りの手続きは夫にやってもらったわ…
まかせた…
召喚！夫
私は実母にやってもらいました…
オネガイ
召喚！実母
なんといっても出生届
出生届
出生届の締め切りは出産の日を含めて14日以内。提出は原則的に子どもの父か母。（代理人による手続きも可能）
●届け先
生まれた子どもの出生地か本籍地。または届出人の在籍地の市区町村役場。
戸籍課
コレ漢字まちがえたら責任重大すよね
書けないようなムズカシイ漢字使っちゃって
そして…
戸籍課
少々お待ちくださーい!!
ドキドキ
子どもの存在が国と自治体に登録されたわけです
パパはやったど―
戸籍
ばあばはやりました
戸籍

戸籍を作ったら別の部署に移動……

こども支援課
こども支援課
現金…大事！
もらい忘れ厳禁！

忘れちゃいけない

児童手当

子どもが生まれたことでかかる生活費や育児費を支援するための給付金です。申請先は、現住所の市区町村の役所なので、里帰り出産する場合は要注意。申請した翌月からの支給なので、なるべく早めの申請を。

知って良かった

児童手当

支給額と対象年齢

3才未満
月額1万5千円

3才以降12才まで
（第1子、第2子）月額1万円
（第3子以降）月額1万5千円

中学生は一律
月額1万円

所得制限

目安として年収960万円以上で子どもが2人いる専業主婦家庭の場合、一律5千円を支給。

15日特例

支給の対象となるのは申請手続きの翌月から。しかし月末の出産や災害などの理由で遅れた場合、出産翌日から15日以内に申請して認定されると、手続きした月も支給対象となる特例があります。

支給されるスケジュール

2月、6月、10月にまとめて支給されます。

2012年10月誕生（10月に手続きした場合）

月	内容	金額
10月	誕生	
11月		
12月		
1月		
2月	支給 11月～1月分	4万5千円
3月		
4月		
5月		
6月	支給 2月～5月分	6万円
7月		
8月		
9月		
10月	支給 6月～9月分	6万円
11月		

一緒に出そう 出生連絡票
（自治体によって名称は異なります）
出生連絡票
母子手帳についてるこれを役所に届けると（郵送可）
後日、役所から助産師さんが母子の様子を見にやってきます
イロイロ話せて相談もできて救われた母多し

ここからは2手に別れて
私はコレで
子どもを健康保険に入れる
これは↓絶対に一刻も早くやれと言われておりキンチョーしている
失敗は許されない…!!
保健年金課
国民健康保険ならそのまま役所で手続きすませる
保険年金課
パパorママの勤務先の健康保険・共済の扶養に入れる場合は勤務先で手続きしてもらう
OFFICE
パパ

知って良かった

ママと子どもと健康保険についてのマメ知識。

扶養とは？

収入がなく独立して生計を立てられない者を、配偶者または親など（3親等内）が援助すること。税法上、社会保険上における優遇措置があり、扶養に入れれば、社会保険料の支払いは免除される。

赤ちゃんはパパとママどちらの扶養に入れますか？

収入が多い方の健康保険の扶養に入れるのが一般的です。

※健康保険の保険料は被扶養者の数では変わらないので給付が充実してる方の被扶養者にするとよい

退職ママの健康保険はどうする？

子どもだけではなく、退職したママもどの健康保険に加入するか選ばなければいけません。退職すると同時に健康保険は失効してしまうので、退職前に決めておくことが大事です。次の❶～❸が選択肢です。

❶ それまでの健康保険を任意継続する

任意継続は２年間まで可能。これまで会社が支払ってきた保険料も自己負担。

❷ 国民健康保険に新たに入る

前年の所得額に応じて保険料が決まる。扶養に入らない場合は、任意継続した場合と、保険料を比べてみて安い方に入るのが得策。

❸ パパの健康保険の扶養に入る

保険料は免除されます。

※失業給付金や出産手当金を（月額およそ10万以上）受給していると、扶養に入れないことがあります。その場合、一時的に国民健康保険に加入する必要があります。

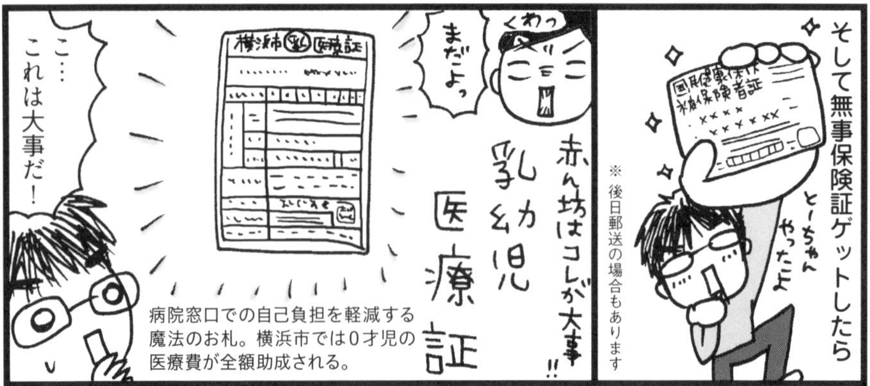
そして無事保険証ゲットしたら
とーちゃんやったよ
※後日郵送の場合もあります
くわっ
まだよっ
赤ん坊はコレが大事!!
乳幼児医療証
こ…これは大事だ!
病院窓口での自己負担を軽減する魔法のお札。横浜市では0才児の医療費が全額助成される。

知って良かった

乳幼児医療費助成

どんな仕組み？

乳幼児が医療機関で診察・治療を受けたときに、その費用の一部または全額を自治体が助成してくれる制度です。

●注意

自治体によって助成のスタイルはさまざまなので、市区町村の役所HPで必ずチェックしてください。

※額や期間が違う場合もありますし、所得制限を設けている自治体もあります

どんな赤ちゃんが対象？

健康保険に加入している赤ちゃんはすべてが対象です。

手続きの流れ

1 助成内容、申請方法のチェック

出産前に自治体 HP で確認しておきましょう。

2 出産後、子どもの健康保険加入手続きをしましょう。

3 赤ちゃんの健康保険証が届く。

4 役所で乳幼児医療助成の手続きをする。

5 乳幼児医療証が届く

病院の窓口で提示すれば、規定の助成が受けられるようになります。

ここまで無事にやりとげて…
怒濤の産後手続き編
ハァ
ハァ
ハァ
クリアー!
CLEAR!

忘れた頃にやって来る
まだあった!!
産後の手続き
私は医療費控除の申請で税務署にも行ったわ
ついこないだ
NEW ダンジョン
税務署
おお〜
私は高額療養費制度使ったから医療費控除しても意味なかったんですよねー
なんだか損した気分
全然損してないし むしろプラスなんだけど
保育園の保育料にも関係してくるから気になるわよね

※前年に払った所得税額により保育料は決定します。

知って良かった

医療費控除

家族全員の医療費の合計が10万円を超えたら申告を!

妊娠・出産でかかった医療費も確定申告すれば、払った所得税の一部が戻ってくるので、その年の領収書などは保管しておきましょう。

手続きの流れ

1 申告する年の翌年の1月までに領収書を整理しておく

医療費として認められる出費のレシートなども保管しておこう。

▼

2 翌年の1月1日から５年の間に居住地の税務署で申告

税務署に行く前に項目ごとの金額をまとめておくと手続きがスムーズ。

計算式

1年間で支払った医療費合計額

− 保険金などで補てんされる金額
（●傷病手当金●出産手当金など）

− 足きり額10万円
または所得が200万円未満の場合は
所得金額の5%

医療費控除額（最高200万円）

医療費として認められるもの

妊婦定期健診費／ 分娩費／ 入院費／ 診療・治療費／ 治療に必要な薬代／ 歯の治療費／ 不妊症の治療費／ 赤ちゃんの健診費／ 赤ちゃんの入院費／ 治療のための針・マッサージ代／ 治療のための市販のクスリ代（ビタミン剤などはのぞく）／ 通院にかかった交通費（バス・電車代）／ 出産時のタクシー代／ 赤ちゃんの通院のための交通費

※妊娠検査薬代・妊婦用下着代・里帰り出産のための交通費・入院用のパジャマ・歯ブラシ代・予防接種の費用・赤ちゃんの紙おむつ代・通院するときのガソリン代・駐車場代は医療費として認められません。

その他のメリット　税金が還付される以外にも、翌年の住民税が下がったり、所得税額によって決まる保育料金が下がります。

離乳食講座
あとは6カ月健診でも来ましたし…今日みたいな講座の時も来ましたしね
そうそう私は保育園の相談でも何度も来たかな
ママと子の情報
こういうチラシもいっぱいもらいに来たわね…
あ
ブアイソな職員さん
あれ？
元気な赤ちゃん産まれたのね
おめでとうございます
お母さん方おつかれさまね
ばあーー
キャッキャッ
赤ん坊には愛想いいんだ……

こうして
いろんな人と
一緒に
数々のクエストを
こなして
いき…
現在は
子育てに邁進中
えースプーンでつぶせるくらいのやわらかさにしましょう
むぐ
むぐ
あうー
あっという間
すぎて
びっくりです
ほーんと
この調子じゃ
すぐに
子どもも
大きくなっちゃうわね
あーあ…
私ホントに
仕事復帰
できんの
かなー？
仕事復帰するママ友…
私の未来…
子どもの未来…
私…
まだ見えないって
まずいよね…？

ママのタイプ別　もらえるお金　一覧表

もらえる制度	自営ママ 	専業ママ 	退職ママ 	勤務ママ 	申請期限
妊婦健診費用助成	○	○	○	○	出産の前日まで有効
出産育児一時金	○	○	○	○	出産の翌日から2年以内
出産手当金	×	×	△	○	産休開始の翌日から2年以内
育児休業給付金	×	×	×	○	育児休業開始の翌日から10日以内
失業給付の受給期間延長	×	×	○	×	退職後31日目から1カ月以内
高額療養費	○	○	○	○	診察を受けた日の翌月1日から2年以内
傷病手当金	×	×	△	○	休業4日目以降2年以内
医療費控除	○	○	○	○	翌年1月1日から5年以内
乳幼児医療費助成	○	○	○	○	医療費を払った日の翌日から5年

※△は条件によってもらえることを表しています。

妊娠出産手続きスケジュール表

自営ママ	専業ママ		退職ママ	勤務ママ
□限度額適用認定証の申請手続き(任意) (市区町村役場)	□限度額適用認定証の申請手続き(任意) (パパの勤務先の健康保険)	妊娠中	□退職後の健康保険をどうするか決める。 □限度額適用認定証の　申請手続き(任意) (市区町村役場) □失業給付金受給期間延長申請書を提出 (ハローワーク)	□限度額適用認定証の申請手続き(任意) □出産手当金の申請書をもらう
□出産育児一時金の直接支払いの合意文書を産院と交わす □出生届を提出 (市区町村役場) □児童手当の申請をする (市区町村役場) □子どもの健康保険証を作る。(パパ、ママともに国保なら、市区町村役場で加入手続きを)	□出産育児一時金の直接支払いの合意文書を産院と交わす □出生届を提出 (市区町村役場) □児童手当の申請をする (市区町村役場) □子どもの健康保険証を作る。(パパの勤務先の健康保険)	出産入院中	□出産育児一時金の直接支払いの合意文書を産院と交わす □出生届を提出 (市区町村役場) □児童手当の申請をする (市区町村役場) □子どもの健康保険証を作る。パパの扶養にする場合は、パパの勤務先に。国保なら市区町村役場で加入手続きを。	□出産育児一時金の直接支払いの合意文書を産院と交わす □出生届を提出 (市区町村役場) □児童手当の申請をする (市区町村役場) □子どもをパパ・ママどちらの扶養にするか決めて子どもの健康保険証を作る。
□乳幼児医療証交付申請書を提出 (市区町村役場)	□乳幼児医療証交付申請書を提出 (市区町村役場)	産後すぐ	□乳幼児医療証交付申請書を提出 (市区町村役場)	□乳幼児医療証交付申請書を提出 (市区町村役場)
□医療費が10万円以上かかった場合、医療費控除の手続き (税務署)	□医療費が10万円以上かかった場合、医療費控除の手続き (税務署)	産後	□医療費が10万円以上かかった場合、医療費控除の手続き (税務署) □再就職を思い立ったら「失業給付金」を申請。 (ハローワーク)	□産後56日経過後「健康保険出産手当金支給申請書」を提出 (ママの勤務先の健康保険) □育児休業給付金の手続きをしてもらう (ママの勤務先・ハローワーク) □医療費が10万円以上かかった場合、医療費控除の手続き (税務署)

知って良かった

ママと子どもとお金

出産費用が準備できない場合は貸付制度もある

「出産育児一時金」の直接支払制度に対応していない医療機関を利用するときなど、出産費用が用意できない場合は「出産育児一時金貸付制度」を利用しましょう。出産予定の妊婦なら無利息で融資を受けられます。

出産育児一時金貸付制度

どんな人がもらえる？
出産予定日まで1カ月以内の人、妊娠4カ月（85日）以上で医療機関に一時的な支払いをする人。

【内容】1万円単位　貸付限度額33万円
【期限】貸付金の返済には出産育児一時金をあてる
【届け出先】国保は市区町村役場、会社員は健保窓口

出産手当金のギモンQ&A

Q 有休を使って、産休に入ってから退職しようと思っています。この場合、出産手当金はもらえます？

A 健康保険に1年以上継続して加入している人が、産休中に退職すれば、出産手当金の支給対象になります。ただし、有給休暇の消化をしているときは、勤務先から給料が支給されていることになるので、その分は差し引かれて支給されます。退職日の翌日から給料が出ないので、その日以降の分が受給できます。

育児休業給付金のギモンQ&A

Q 保育所が決まらなくて育休を延長したいのですが？

A 「育児休業基本給付金支給申請書」に必要事項を記載して、次のいずれかのときに提出すれば、最大6カ月の延長が可能です。

1. 赤ちゃんが1才の誕生日前の最後の支給単位期間の支給申請を行うとき
2. または、赤ちゃんの誕生日の直前の支給期間

必要な書類
入所不承諾の通知書など保育所に入れない事実を証明することができる書類（無認可保育園は含まれません）

※申請を忘れて支給を受けられないことがあるので、育休延長の場合は特に気をつけて、ハローワーク等で手続きの確認をしておきましょう。

その他のお金①
ひとり親家庭をサポートします

児童扶養手当

離婚、未婚で出産、パパやママが死亡か重度の障害がある、またはパパやママが行方不明で1年以上仕送りや連絡が来ないなどの事情がある、18才以下の子どものママやパパ、祖父母などの養育者がもらえます。支給額は、所得額に応じて、月額およそ1万円～4万数千円で、金額は自治体によって異なります。なお、2人目は5千円、3人目以降は3千円が加算されます。住まいのある市区町村役場に申請します。

児童育成手当

離婚、未婚で出産、パパやママが死亡か重度の障害がある、またはパパやママが行方不明で1年以上仕送りや連絡が来ないなどの事情がある、18才以下の子どものママやパパ、祖父母などの養育者がもらえます。養育手当のほか、子どもに所定の障害がある場合にもらえる障害手当もあります。この制度は一部の自治体で行われているもので、手当やその他のサポート内容も自治体によって異なります。詳しくは住まいのある自治体に問い合わせてみましょう。

その他のお金②
子どもの治療を経済的に支援する

乳幼児医療費助成制度は各自治体によって、助成制度の中身も名称もさまざま。自分が暮らしている地域がどのような助成制度を行っているか、調べてみましょう。

おもな都市の乳幼児医療費助成制度（2012年10月現在）

都市名	対象年齢	所得制限の有無	助成内容
札幌市 子ども医療費助成	0才～中学校3年生	○	**0才～小学校就学前**の通院・入院は自己負担分を全額助成。**小学校1年生～中学校3年生**の入院は医療費の自己負担分を1割に軽減。（上限を44,400円にして、それを超えた金額を助成）
渋谷区 子ども医療費助成	0才～中学校3年生	×	通院・入院ともに自己負担分を全額助成。
新潟市 こども医療費助成	0才～中学校3年生	×	入院1日1200円、通院1日530円を自己負担上限額にして、それを超えた金額を助成。
名古屋市 子ども医療費助成制度	0才～中学校3年生	×	通院・入院ともに自己負担分を全額助成
金沢市 子育て支援医療費助成制度	0才～中学校3年生	×	**0才～小学校3年生**の通院と入院は自己負担分の1カ月分の合計から1000円を差し引いた額を助成。**小学校4年生～中学校3年生**の入院は自己負担分の1カ月分の合計から1000円を差し引いた額を助成。
大阪市 こどもすこやか医療費助成	0才～中学校3年生	△ （子どもが3才以上はアリ）	**0才～小学校就学前**の通院と入院は自己負担を1日あたり上限500円にして、それを超えた金額を助成。（3日目以降は全額助成+入院時の食事代を助成）**小学校1年生～中学校3年生**の入院は自己負担を1日あたり上限500円にして、それを超えた金額を助成+入院時の食事代を助成。
神戸市 乳幼児等・こども医療費助成	0才～中学校3年生	△ （子どもが1才以上はアリ）	**0才～中学校3年生**までの入院は自己負担分を全額助成。0才の通院は全額助成。**1才～小学校3年生**の通院は自己負担を1日あたり上限600～800円にして、それを超えた金額を助成。**小学校4年生～6年生**の通院は自己負担を2割に軽減。
高知市 乳幼児医療助成事業	0才～小学校就学前	△ （子どもが3才以上はアリ）	**0才～2才**の通院・入院は自己負担分を全額助成。**3才～小学校就学前**の入院は自己負担分を全額助成。通院は、第1子第2子までは、自己負担分の2分の1を助成。第3子以降は自己負担分を全額助成。
福岡市 子ども医療費助成制度	0才～小学校6年生	×	**0才～小学校就学前**の通院・入院は自己負担分を全額助成。**小学校1年生～小学校6年生**の入院は自己負担分を全額助成。
鹿児島市 乳幼児医療費助成制度	0才～小学校就学前	×	**0才～3才未満**の通院・入院は自己負担分を全額助成。**3才～小学校就学前**の通院・入院は自己負担を上限2000円にして、それを超えた金額を助成。

※乳幼児医療費助成制度は、保険適用外の医療費は対象ではありませんので、ご注意ください。なお、こちらの表は2012年10月現在の制度説明です。最新のものは、各自治体HPでご確認ください。

頑張れパパ
手続き大変だったでしょうありがとう
ここは父としての頼りがいをアピールせねば…
はっ
このぐらいなんでもないよ!
まぁそうだよね父だもんね
あ 晩ごはん用意よろしく
もっとねぎらってもらえると思った父…

産後の母に回復以外のことを求めるべからず

第２章　いくらあっても足りない!? 教育費

教育費1人2000万円
あ…?
ずしっ
う……っ 重ッ!
まあ……やるっきゃないよね!
ハイっ服はここでは買わないよ リサイクルショップで買うよ
ぐんっ
今度はなんだ?
本・CD
知育玩具
すうじ
えいご
0歳からのえあわせカルタ
てあそびは心を育む
ママといっしょにリトミック
6カ月からの△○×式
わー……
あー
やっぱり知育って早くからやるべきなのかな?
いっぱいあるなー
あー
DVD付き English
そういえば桃代さんは6カ月から通信教材始めたって言ってたなー……
月2千円くらいだよ
いろいろ来るよ
でもこれから保育園の保育料もかかるし…保育園の先も……この先ずっと……
ダンナに相談してみよう……
CASH
CD付 毎月リトミ
パンフレットご自由にお取り
たのしくEnglish 8カ月マデが耳が 発音

0才で教育は早すぎるんじゃないかなぁ…？
ボンボン
赤子が寝てるので小声で話してます。
ノンアルビール
第一ウチにはそんなのにかけるお金ないでしょ
まあ そうなんだけど…
＊節電のため室内暗いです。
月2千円弱……年間2万円くらいならやらせてあげたいなーって
その分私仕事がんばるよ
ノンアル
ノンアル
うーん……まだ小さいんだし……図書館で本借りたりしてさ俺たちでやればいいんじゃない？
そうなのかな…？
ノンアルビール
がんばって稼いで教育にお金かけてあげたほうがいいんじゃないかな…？

俺はね そういうの よりも 音楽やスポーツを やらせたいいん だよね～
音楽教室や スポーツ教室 ってこと？
そう… そう！
リトミック
ベビースイミング
こういうのは 俺が教えるより プロに教わった方が いいよね！
……いくら かかるんだろ…？
月1万円くらい かかるのかな ……？
それは俺が 仕事がんばって 稼ぐよ… 今すぐって わけじゃ ないけど…
そうだね…… 仕事して 節約して お金 貯めな きゃね
…… おう！
がんばら なくちゃ ね……

せっせ
せっせ
なるほど～！
ここにコレで資料がどこにあったっけ…
ブツブツ
あ
洗い物してくれてありがとう
ジャー
いいよ洗い物くらい仕事がんばって！
ハーイ
カキカキ
ジャー
カチャ
カチャ
ジャー
カチャ
カチャ
細かくてごめんね
水の流しっぱはやめよう…？
あっごめん！
つい…
キュッ
節約しなくちゃだもんね
カチャ
カチャ
うん……

ジャー
シャコシャコ
ジャー
シャコシャコシャコシャコ
キュッ
あ……ごめん……
シャー
わしゃわしゃ
シャー
ぼんやり…
シャカシャカ
ビクッ!
キュッ
…ねえ……
水道代って節約に 気をつけていくら安くなった?
え…?
たしか…月あたり250円安くなったわよ
そう!――
チャリン――
これで水の節約かんべんしてくんない?

だーかーらーーっ
そういう問題じゃないんだってば!!
またそれやるか!?
なんでだよ
そういうコト
だろ!?
250円払えば問題ないだろ!
ふ………っ
フギャアアアァァァ
ハッ
ごっごめんねっ
怒ってないよっ
大丈夫だよーっ
ギャアアアアア
夫婦ゲンカは教育上よくないと思ってる
なんで
こうなっ
ちゃうの？

【もしもの教育費は青天井】

はい
これ頼まれた
食材だよ
――ありが
とう……
スーパー ラクゼン
お客さん
入ってない
んだね
あー…うん…
この天気じゃね
そっか……
どうしよう
売上減
収入減
どうしよう…
あ……
でも今ね
雨の日
ポイント
２倍っての
始めたんだ
常連さんに
好評なんだよ！
point card
へー……
常連さん
ねぇ……
カランコロンカラ～ン
あら
久しぶりね

うわぁ……お久しぶりです！
このマダムはいつもカフェラテを飲みに来る常連さんで
マスターいつものねー
はーい
お金に無知な私にお金についての考え方を教えてくれた人です
育児に疲れた顔してるわねー
え!?
そんなことないですよー
子どもが産まれて今ががんばり時ですしね！いっぱい稼いで教育費貯めますよ～って！
おっとっと…
よろっ
なんだか余計心配になるわね…？
おっとっとっ
あれあなた…？
とっと
ちょっと……大丈夫!?
チカ
チカ
アレ…？

ずびません…
いいから少し目閉じてなさい
めまいでフラついたんだから
――ハイ
マスターから聞いてたのよ
赤ちゃん寝てから仕事してるんですって？
ダメよちゃんと休まなきゃ
母親はあなた1人しかいないのよ
はあ……そうなんですけど
この子のためにお金稼ぐのも私の…親としての務めですし……
ハァ
あら やだ これは一度ちゃんと話さないとダメみたいね……？
ねえ マスター……
キラン☆
えっ
は はい
お願いします!!

【子どもの可能性ともしもの教育費】

お言葉ですがマダム……子育ては時代によってやり方が違うので……教えていただかなくても大丈夫ですよー
そのおせっかいな姑を見るような目やめてちょうだい
あなたこの子のためにいくら稼ぐつもりなの？
またズバっと…
それは…2000万を教育費として貯金しないといけないので……
それと生活費も稼がないといけませんよね
だからもう私はとにかくできるだけ…
稼ぎ
生活費
教育費
2000万円
――ぷ
あははははははははっ
2000万円ってどこから出てきたの？
マダム知らないんですか？
え…っとよく本とかに書いてありますよ？

じゃあ私 子どもも５人 育てたから １億かかった ってこと かしら？
子どもの教育費
2000万
2000万
2000万
2000万
2000万
計 1億円 !?
あれ そうか…
やっぱり さすが ですね…
お金持ち…!!
あのねぇ…
いくらなんでも そんなに私 払えないわよ
あなた 色々と勘違い してない？
……かんちがい？
な… 何を…ですか？？
じゃあ ちょっと考えて みましょうか ね……

教育費っていうのは公立と私立で全然違うのは知ってるわよね
そうなんですよね——
どこをどうやって2000万円なの？
ウチは希望としてはオール公立なんですけど……
大学公立
高校公立
中学公立
小学校公立
幼稚園公立
約1000万円
いやでも現実的に考えたら
大学私立
高校公立
中学公立
小学校公立
幼稚園公立
こうなるかもなー
こうなったり…
大学私立
高校私立
こうなったり！
大学理系
高校私立
もしかしてこうなっちゃたりしたら…!!
大学医学部
高校公立
中学公立
小学校公立
幼稚園公立
やっぱり2000万円ですよ…!!

幼稚園から大学までの教育費（単位：万円）

教育費	公立	私立
幼稚園 3年間の合計	69	162
小学校 6年間の合計	180	882
中学校 3年間の合計	141	384
高校 3年間の合計	120	279
大学 4年間の合計	国立 244	私㊫ 386
	公立 256	私㊮ 519

私立医歯学部
2483（6年間）

※文部科学省「平成22年度子どもの学習費調査」、「平成21年度学生納付金調査結果」、「私立大学等の平成21年度入学者にかかる学生納付金等調査結果」をもとに作成

そうかしらねえ…
コレでいいじゃない？
ALL公立
約1000万
ひょいっ
そうなんですけど現実的に考えてウチの子大学まで国公立っていうのは難しいかな～って
私たちの子ですし
ってコトは…コレは必要ないわよね
頭よくなきゃムリよね
医学部
あれ？…！
ムリよね？
医学部
ゲンジツテキニ
い…いやいやわからないじゃないですかっ
子どものなりたいものにならせてあげるのが…親の…
あれ？
アレ？
何か私…大事な所ずれてた…？
何コレあなたたち運動神経いいの？
サッカー留学
500万円
いえ、まったくです……

まったく…
2000万円なんてとんでもない額 どこから出てきたかと思ったら
こんな内訳だったとはねえ
現実的な数字はせいぜい1000万円ってとこだと思うわよ
それも高いと思うけど
はあ… で…でも それって…
子どもの可能性をつぶすことになるんじゃないかな…?
あうー
あ起きてる
ムゲンの可能性があるのに…
――思い出してみてほしいんだけど……
マンションをローンで買う時買える額じゃなくて払える額で考えるって話があったでしょう
教育費もそうだと思うんだけど……
そうなんですけど……ネ

【18才までは生活費で学費をまかなうのが理想】

うだ家の教育費ライフプラン表《シート》

2022	2021	2020	2019	2018	2017	2016	2015	2014	2013	2012	年号
48	47	46	45	44	43	42	41	40	39	38	
46	45	44	43	42	41	40	39	38	37	36	
11	10	9	8	7	6	5	4	3	2	1	
習い事・塾 月謝1万円くらいので…	食べ盛りで生活費UP!			公立小学校入学				保育料下がる		保育園入園	イベント
42万円	30万円	30万円	30万円	30万円	20万円	20万円	20万円	20万円	36万円	36万円	教育費（年間）
192	[月16万円]にUP! 192	180	180	180	180	180	180	180	180	[月15万円] 180	生活費 基本は月15万円
132	132	132	132	132	132	132	132	132	132	132	住宅ローン 月11万円返済

にーくにーく
げっ…

夫婦で手取り年収400万円のときいくら貯められる？
たしかに…!
このぐらいの年頃の教育費はなんとかなりそうね…
そうね…でもずっとこのままじゃないわよ
こっちに来なさい!!

34	46	58	58	58	68	68	68	68	52	52	貯蓄可能額

← 教育費の貯め時ゾーン → 単位:万円

※文部科学省「平成22年度子どもの学習費調査」、「平成21年度学生納付金調査結果」、「私立大学等の平成21年度入学者にかかる学生納付金等調査結果」をもとに作成

2034	2033	2032	2031	2030	2029	2028	2027	2026	2025	2024	2023
60	59	58	57	56	55	54	53	52	51	50	49
58	57	56	55	54	53	52	51	50	49	48	47
23	22	21	20	19	18	17	16	15	14	13	12
就職 還暦	就職活動		他に受験費用が10万〜20万 入学後も教科書代や通学費で年額およそ15万円かかるらしい…	私立大学入学（文系） 親の私が私立大学なんだから夢は見ない…	大学受験・塾 予備校代っていくらくらいかかるの…？え、5万円…!? 高っ!! +60万円		公立高校入学 すいませんがここは公立で！	高校受験・塾 月謝2万5千円くらいかかるかな… +30万円	ケータイ代 服代などで生活費またUP…!!	公立中学校入学	習い事・塾
0	90万円	90万円	90万円	116万円	100万円	40万円	40万円	77万円	47万円	47万円	42万円
独り暮らし or 実家?	216	216	216	216	216	216	216	216	216	[月18万円にUP!] 216	192
あと数年で完済	132	132	132	132	132	132	132	132	132	132	132

あ…っところどころ赤字に！
子どもが成長していくとお金が必要な時期というのがあるのよ
目の前の教育費をやりくりしつつ将来の教育費の準備を小さい頃からコツコツやるのが王道ね

／	-38	-38	-38	-64	-48	12	12	-25	5	5	34

た……
たしかに！
私……1000万円をまるまる貯金しなくちゃ安心できないと思ってました！
1000万円貯金箱
ポテッ
なんでそう思うのかしらね？
家のローンなんかは総額で考えないのにね
食費＋雑費だって総額で考えたら子ども１人あたり大人になるまで1000万円以上かかるわよ
食費
1000万円
でも食費のための貯金なんてしないでしょ？
食べ盛り貯金とか？
いっぺんにかかるわけじゃないですもんね……
月々の食費
基本的に教育費ってのはフローで出すべきなの
フロー…流れですね…
そうお金の流れでキャッシュフロー…次のページの図はそれをわかりやすくしたものよ（笑）

キャッシュ風呂《フロ》
収入
ドボボボボ
不便よね―…!
穴の空いた風呂桶で私達は普段 生活してるの
お湯＝《イコール》現金《キャッシュ》
穴の空いた風呂桶
一定量流れていってしまうお金＝固定費
食費
交際費
衣類
そうそう湯船のお湯は上手に使わないと
はーい
ザバー
あ…あれっ!?
すぐになくなってしまうんですよね
だから計画的にやらないと…でしたね
食費で2杯
衣類は1.5杯
教育費だって同じよ このお湯の中でやりくりしていけばいいの
これだけあれば息子くんキレイにできるわよ
教育費
え〜でもそれだけじゃ足りないですよ〜!
今はよくても
ライフプラン表作ったでしょ いついくら足りないのか把握して その分だけ別口でコツコツ貯金してけばいいのよ……
私が言いたいのはね……
貯水
莫大な教育費のかかる可能性のある年齢
子 18歳
やみくもにがんばって身体壊してちゃ意味ないってこと!

【教育費は「かかる？」「かける？」】

でも……やっぱりできる限りのことはしてあげたいから
ギリギリの貯金額よりも多くあれば安心かなって思うんです
貯金 要
最低 300万!
そのためには早くからお金をかけたり
無理してでも貯金しておいたほうがいいのかなって思うんですよね
貯金 安心
50万
50万
50万
目標 500万!
塾
習い事
英才教育
無理して…でも…ねえ…
今も0才からの教育とかやらせてあげたいなーって…
どんな可能性があるのかなーって…
そ…そう…今は色々習い事があるからねー…

ウチは5人 子どもが いたからねー それぞれの 可能性に かけて あらゆる 習い事 させてたら 月何万… いや何十万 飛ぶのよって 感じだった からね……!
そ…そうですね…
HOW MUCH?
それに子どもって やる価値も 考えずに やりたがる でしょ
ひろえ 7歳
友だちの キョーコが やってるから
ピアノやりたい!!
だから私は 子どもが何か やりたい!と ねだってきたとき 一緒に考えるように してたわ
それは 本当に あなた (子ども自身) にとって必要な こと……? ってね
子どもに とって必要 ……
そう 本当に必要なら お金出すのよ
だって子どもって どうあがいたって 必要最小限のお金は かかるわけじゃない
まあ…少しでも プラスしようとする 気持ちはわかるわよ

でもものすごく無理してお金かけたところで
なんでもやっていいのよ
友だちん家でゲームやってくる！
よいしょ…
そっ…
えっそれはやらないの!?
ムダになることなんてざらでしょ
あとお金をかけすぎちゃうと必要以上に期待しちゃうからよくないわね
これは私の個人的意見だけどね…
あんたに今までいくらお金かけてきたと思ってるの！
うるせー、俺の人生だオメーが勝手にしたことだろ！
なんてクチの利き方!!
イヤ―
想像が古い…
ウチの子に限ってそんな……
おかーさんはそんなつもりじゃないのよ
?
まあ…あらぬ期待は子どもにとっては迷惑なんじゃないかしらね…
だからちゃんと本人と一緒に考えることが大事なのよ ムダになるのイヤでしょ？
どうしてもやりたきゃ子どもだって自分でなんとかするわよ
はい…想像で泣けるくらい悲しいです

だからとりあえず
最小限の
お金でいいのよ
それでもし
足りなかったら?
まあ何とか
なるわよ
ちょっとくらい
足らなくても
ポイッ
キャアー
教育費は
聖域だって
言いますよ!
それで家族が
傷つけあってたら
意味ないでしょ
あ…
……はい
上を見たらキリがないし
親の無理なんて
限界があるんだから
最低限
私立小
私立中
私立高
ホームステイ
習い事
塾
私立大学
留学
大学院
それなら「我が家の教育費」を
先に決めちゃえばいいのよ
無理ない額!

そこから逆算して
月々の貯金額を決める
無理のない額だから
毎日ギスギスしたり
無茶な節約も
しないですむわ
……
ホント
ですね…
私は……
「かかると
言われている
教育費の把握」
ばかりして
「自分たちが
かけられる
教育費」
を把握して
なかったんだ…！
まあ
大学に進学
させるつもりなら
生活費とは別に
300万円
くらい用意して
おけばいいわ
ペタ
300万
0才から貯金して
18年間で300万円
貯めるなら
月額約1万4千円
ハイ
300万÷18
÷12＝
13,889円
……!!
そのくらいなら
なんとかなると思います！

【教育費で家計を壊さないために】

大事なのは生活費とのバランスよ
収入から一定額を先取りして貯蓄にまわすことで生活が苦しくならないようにしっかり家計を管理しなきゃ
教育費
生活費
ウチは収入不規則だからこまめにチェックしないと！ですね
大丈夫かしら、
足りてる？
カケイボ
子どもができると節目節目で支出があるから「お財布のバランス感覚」は常に必要ね
貯金してる大きなお金以外は日々の生活費からなんとかする
食費とかと一緒ですね
どうしても足りないけどやりたければ方策を練る
サッカーやりたーい
親のプライドにかけてやらせてあげたいけど…
すこし仕事無理しよっかな……
いや私が一緒にサッカーやるか…
無理ならやらないっていう選択肢があってもいいじゃない

へ？
やらない…
そうよ
お金がないなら
ないでいいの
親のプライドは
別のところに
かけなさい
ん？
子どもが
いつでも笑顔で
いられる
家庭…
にぱあっ
おいで
やっと笑ったわね
あなたたち
家族
…………
親のプライドにかけて
そんな家庭を
作る方が素敵だと
私は思うわ

まあ
無理せず
がんばん
なさい
何度も
言うけど
母親は
あなた1人
なんだから
ハイ!
あ
そうだ
ねえ…
子どもにお金かけるのって
本当にこの子のためになるのかしらね
え…っと
それはやっぱり
可能性のため
にはできる
だけ…
あっでも
いくらでも
お金使ってたら
ろくな子に
ならない気も
しますし…
またいつか
わかったら
教えて
ちょうだい
じゃー
?

知って良かった

教育費の実態

教育費は「18才まで」と「18才から」で考える

総額で考えると途方もない金額になりがちな教育費。しかし、基本的には次の通りシンプルに考えましょう。

18才までの学費はフローで（幼・小・中・高）

高校卒業までにかかる学費は月々の生活費に組み込んで、家計から捻出しましょう。

18才からの学費はストック（貯蓄）も使いながら（大・専門学校・大学院）

18才からかかる一般的な学費は家計からでは足りないので、子どもが産まれてから18年間かけてコツコツ積み立てしておきましょう。

えほん

18歳
STOCK
FLOW

学習費総額の内訳（3〜18才まで　年額平均）単位：万円

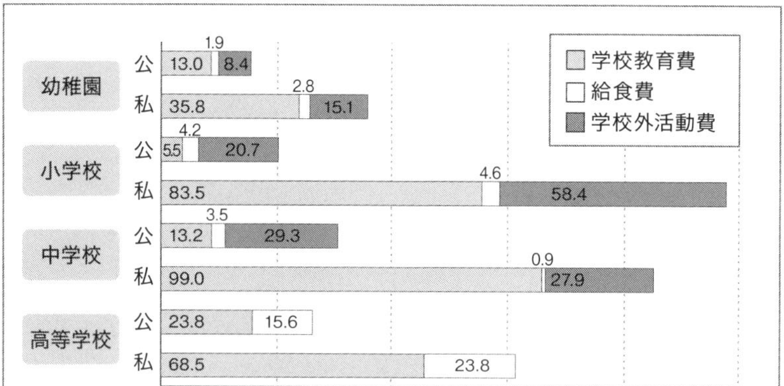
学校教育費
給食費
学校外活動費
幼稚園
公 13.0 1.9 8.4
私 35.8 2.8 15.1
小学校
公 5.5 4.2 20.7
私 83.5 4.6 58.4
中学校
公 13.2 3.5 29.3
私 99.0 0.9 27.9
高等学校
公 23.8 15.6
私 68.5 23.8
0
30
60
90
120
150

公立と私立では大きく異なる教育費ですが、**公立を中心に選んだ場合ならば、年間30万〜40万円程度の出費をみこんでおけばOK。**このくらいの額ならば、家計に組み入れることも難しくありません。

反対に私立を選ぶ場合は、年間の学習費が**年間100万円**を超える場合も珍しくないので、事前にしっかりと準備をしておくことが大切です。

私立　公立　国立　どれに通いますか？

幼稚園 保育園

保育園は認可か無認可で保育料が異なります。自治体によって、助成金を出すところもあります。幼稚園を選ぶ場合は私立が多いようです。

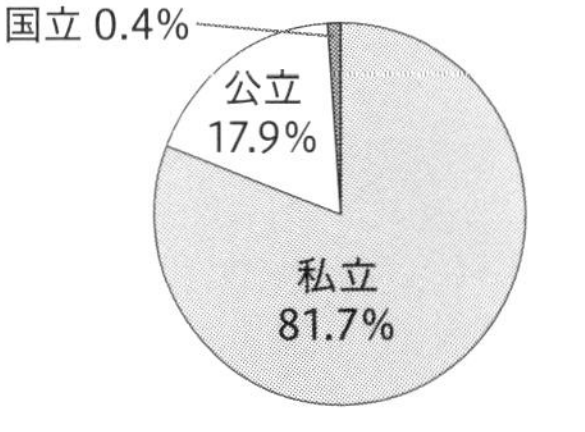
国立 0.4%
公立 17.9%
私立 81.7%
幼稚園に通う子ども（全国平均）

小学校

公立に通う子が一般的です。地域差がありますが、私立中学を受験する子どもたちは小学校5～6年生のときに塾通いし、その出費がかさむことがあります。

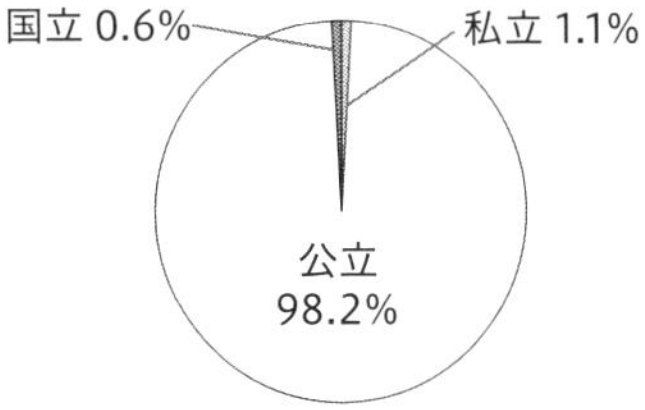
国立 0.6%
私立 1.1%
公立 98.2%
小学校に通う子ども（全国平均）

中学校

全国平均では私立中学に通う子どもは7％程度ですが、東京都平均では30％ほど。部活動や塾にと活動範囲が大きく広がる時期です。

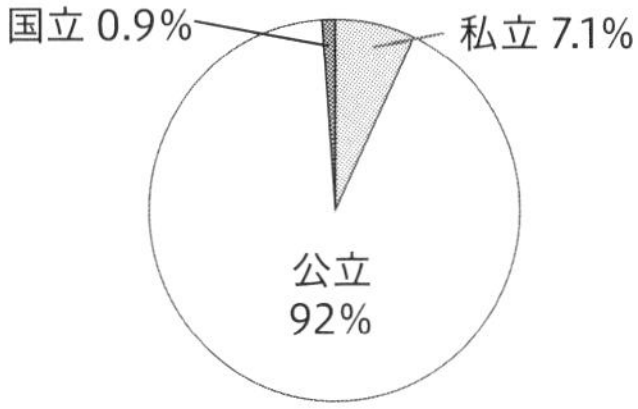
国立 0.9%
私立 7.1%
公立 92%
中学校に通う子ども（全国平均）

高校

高校になると、全国平均でも私立に通う子どもの数がグンと増えます。また大学受験を控えて、予備校や塾などへの出費も増える時期です。

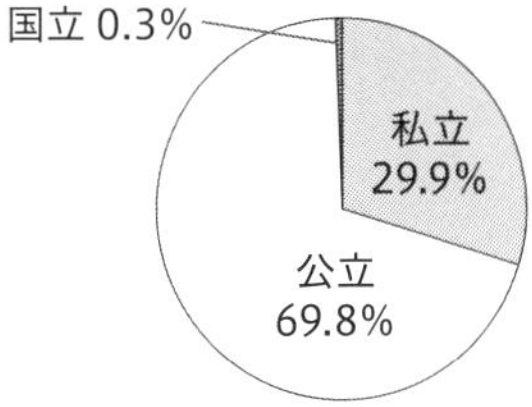
国立 0.3%
私立 29.9%
公立 69.8%
高校に通う子ども（全国平均）

大学生

国公立に通う比率はおよそ3割程度。だが入学料と授業料は国公立といえども高校までとは違いやはり高い。自宅外になるとさらに下宿代もかかります。

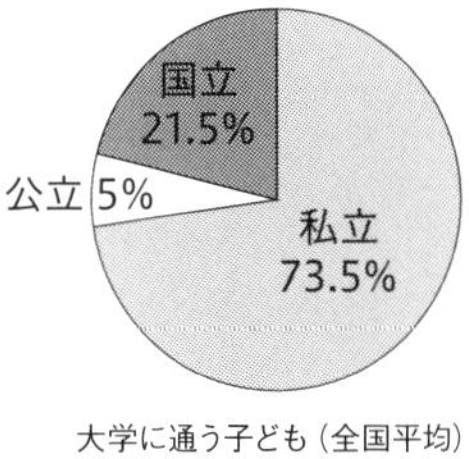
国立 21.5%
公立 5%
私立 73.5%
大学に通う子ども（全国平均）

<平成23年度学校基本調査　調査結果より作成>

塾や習い事にいくらかけていますか？

1カ月にかける教育費（塾や習い事）の平均額

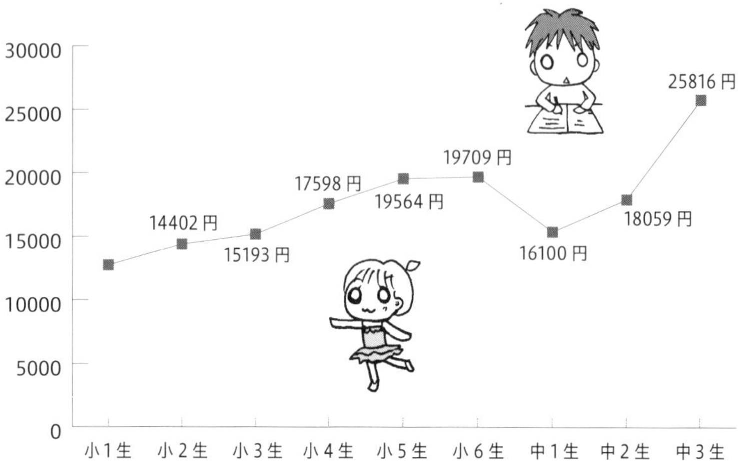
30000
25000
20000
15000
10000
5000
0
14402円
15193円
17598円
19564円
19709円
16100円
18059円
25816円
小1生
小2生
小3生
小4生
小5生
小6生
中1生
中2生
中3生

（ベネッセ　教育研究開発センター「第4回子育て生活基本調査 2011年より」

1カ月にかける教育費（塾や習い事）は、子どもの年齢があがるにつれ、増加傾向にあります。小6では中学受験の影響、中3では高校受験の影響で金額が上がっていきます。

そして、中学生のする習い事の第1位はやはり学習塾。クラスでも多くの子どもが通うようになり、友達との交流の場になることもあるようです。しかし、習い事については安易に周りに流されることなく、子どもと一緒に本当に必要かどうか考えて判断しましょう。

中学生に人気のある習い事

男子		
1位	学習塾、予備校	51.5%
2位	何もしてない	31.6%
3位	野球・サッカー・体操など	10.2%
4位	英語教室	8.9%
5位	柔道、剣道、空手など	4.9%

女子		
1位	学習塾　予備校	46.3%
2位	何もしてない	30.8%
3位	音楽（ピアノ・バイオリンなど）	21.2%
4位	英語教室	11.6%
5位	習字	11.2%

（内閣府「低年齢少年の生活と意識に関する調査」2007年より）

保育園

０歳児から預かってくれて、１日面倒を見てくれる保育園は、ワーキングマザーの家庭にとってなくてはならない存在です。保育園は認可と無認可に別れており、認可保育園の保育料は自治体ごとに基準が違いますが、総じて無認可より安く抑えられています。ただ、認可保育園は競争率が高いことや、預けられる時間の関係で無認可保育園を選ぶ人もいます。自治体によっては助成金を出しているところもあるので、自治体の相談窓口に尋ねてみましょう。

認可保育園の保育料の目安

３才未満　３～５万円

３才児～　２万円前後

無認可保育園の保育料の目安

６万円～８万円

幼稚園

幼稚園とは、子どもの教育を目的とした、文部科学省管轄の「学校」です。原則としては満3才以上の子どもが入園でき、2時頃が退園時間に設定されています。近年では、預かり保育で夕方まで預かってくれるところもあります。

また、私立幼稚園就園補助金や、入園補助金など、自治体からの援助もある場合もありますので、住んでいる自治体の支援内容を確認してみましょう。（私立幼稚園就園補助金は所得制限アリ・入園補助金は1～3万円支給が一般的。）

幼稚園の学校教育費の内訳（単位：万円）

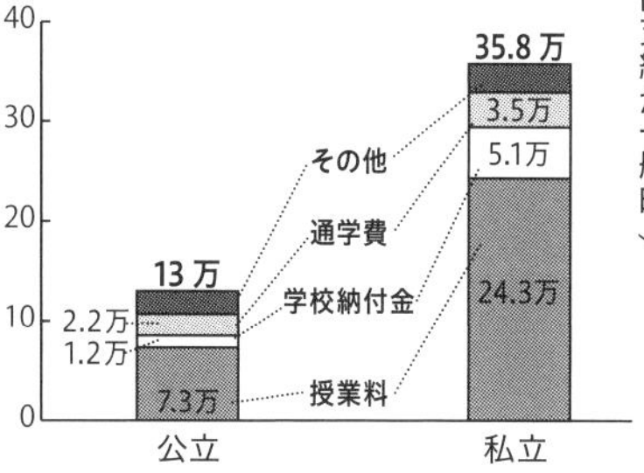

小学校 中学校

公立を選んだ場合、私立を選ぶよりも家計に余裕ができますが、しっかりとお金の貯めどきであることを認識しましょう。

中学から私立にいかせるには、一般的に世帯年収７００万円以上が必要と言われています。なんとか節約して乗り切るというより、妻も働くなどして世帯収入をアップさせる方法を考えるのが現実的でしょう。

また、この時期は身長や体重の成長が著しく、洋服代などもかさみます。計画的な家計コントロールをしっかり身につけましょう。

中学校の学校教育費の内訳（単位：万円）

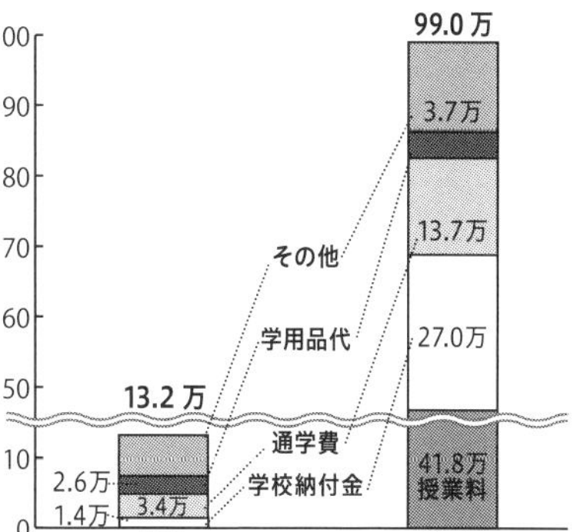

小学校の学校教育費の内訳（単位：万円）

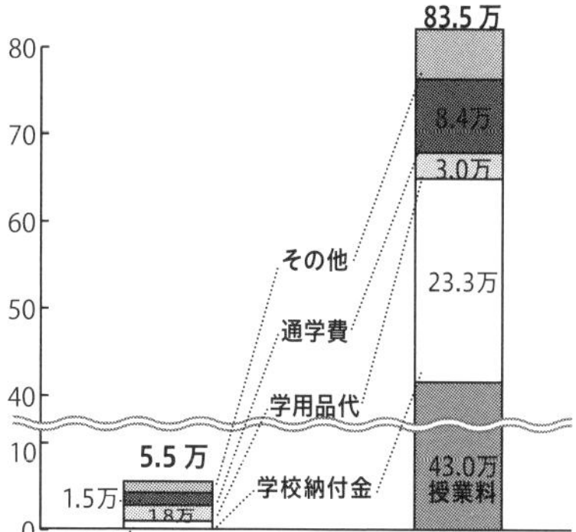

高校

2010年から公立高校の授業料が無償化されました。高校の種類による不公平を是正するため、国立、私立高校に通う生徒に向けて作られた制度が「高等学校等就学支援金制度」です。国立と私立に通う高校生を持つ家庭は必ず申請するようにしましょう。この時期は18才以降の就学に向けた最後の準備期間です。進学する場合は、公立、私立の違いだけではなく、大学や短期大学・専門学校などの選択肢が広がります。それぞれかかるお金が違うので、しっかりと調べましょう。

高等学校等就学支援金制度

支給額は月額9900円
保護者の所得額によっては、さらに加算される場合もあります。

届け先

申請書を学校に提出。所得に応じた加算を希望する場合は、保護者の所得証明書類が必要。

高校の学校教育費の内訳（単位：万円）

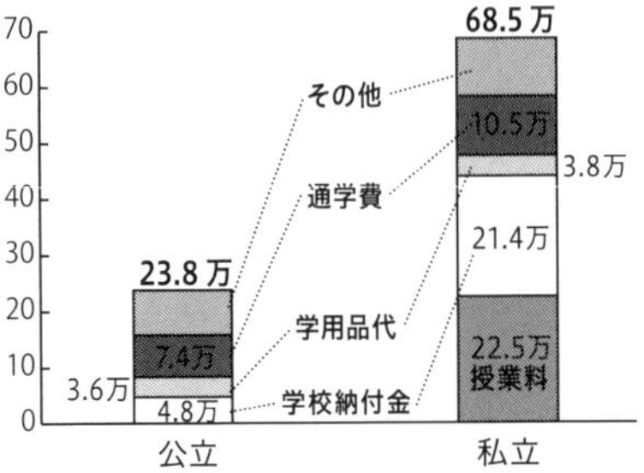
70
60
50
40
30
20
10
0
23.8万
68.5万
その他
通学費
学用品代
学校納付金
7.4万
3.6万
4.8万
10.5万
3.8万
21.4万
22.5万
授業料
公立
私立

大学

高校を卒業した人の進路の大学短大の占める割合は53・9%でトップ。（10年前の同様の調査では45・1%でした。）今や多くの人が大学に進学するようになりました。たとえ、もっとも学費の安い国立大学に進学したとしても、自宅外で下宿生活をする必要に迫られるかもしれないので、しっかりお金の準備をしておきましょう。

高校卒業者の進路先（平成23年度学校基本調査より）

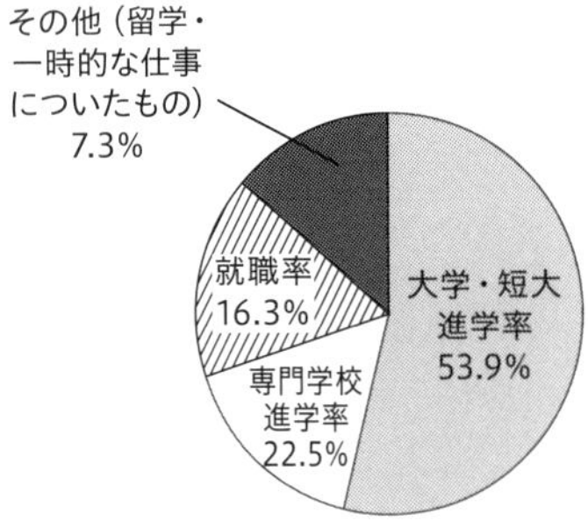
その他（留学・一時的な仕事についたもの）7.3%
就職率 16.3%
大学・短大進学率 53.9%
専門学校進学率 22.5%

どうしても足りない場合は、奨学金や教育ローンを検討することもできます。特に初年度の支払いは入学金などが上乗せされているので、次年度以降の支払いよりも一時的に高くなります。

初年度納付金の目安

	授業料	入学料	施設設備費	合計
国立大学	54	28	ナシ	82 万円
公立大学	54	40	ナシ	94 万円
私立大学文系（文・法・商・経済・経営・教）	74	25	16	116 万円
私立大学理系（理・工）	104	27	19	150 万円
私立大医歯系	290	102	88	480 万円

（国立…「平成 22 年度国立大学の授業料、入学料及び検定料の調査結果」、公立…「平成 23 年度学生納付金調査結果 」、私立…「平成 23 年度私立大学入学者に係る初年度学生納付金平均額の調査結果」 より）

知って良かった

奨学金制度

平成22年度の学生生活調査によれば、今や奨学金の利用者は2人に1人で、そして利用者は年々増加の一途をたどっています。この傾向は今後も続くでしょう。

教育費の足りない家庭は、奨学金の利用も選択肢のひとつとして知っておくとよいでしょう。

奨学金には大きく分けて公的か民間か、貸与か給付か、無利子か有利子かなどの種類があります。一番有名な奨学金である日本学生支援機構奨学金は公的制度で、貸与型です。こちらは子ども本人が名義人となって、卒業後返済していくタイプです。また、大学独自で奨学制度を整えている大学もあります。さらに学費のいらない大学もあるので、お金がないから大学に行かせられないとすぐに諦めずに、いろいろと探してみることをお薦めします。

全学生数における奨学金利用者の割合

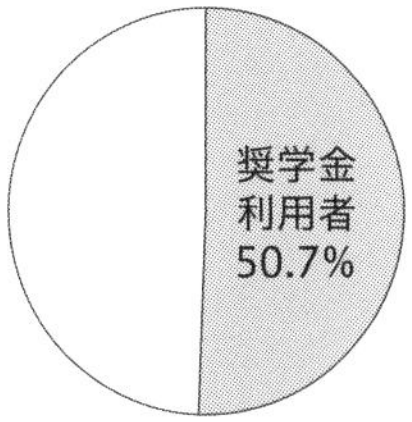

大学昼間部

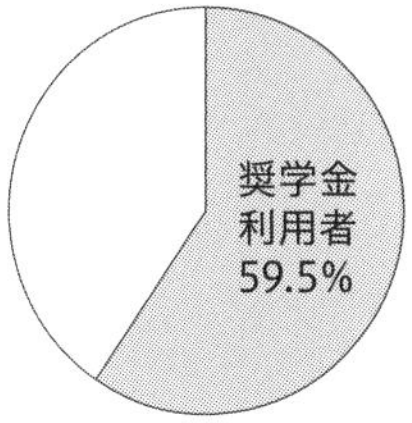

大学院（修士課程）

（平成22年度学生生活調査　奨学金受給状況）

日本学生支援機構の奨学金の種類とその貸与額

	区分	通学	毎月の貸与額	学力基準
第1種［無利息］	国公立大	自宅	45000円	高校1年生から申込時までの評定平均が3.5以上など
	国公立大	自宅外	51000円	
	私立大学	自宅	54000円	
	私立大学	自宅外	64000円	
第2種［有利息］	進路にかかわらず 3万円、5万円、8万円、10万円、12万円から選択			進学後の学習に意欲があり、学業を終了できる見込みがあると認められる者など。

大学独自での奨学制度（例）

東京大学	平成20年度入学生より、親の年収が400万円以下の学生の授業料が無料。学力基準は新1年生であれば合格者全員が適格になる。
早稲田大学	「大隈特別記念奨学金」入学試験で優秀な成績を修めた学生に最高で4年間の授業料相当額を給付。
慶應義塾大学	「学問のすすめ奨学金」事前に申請し、一般試験を合格した後、所定の条件をクリアした成績優秀者に年額60万円給付(医学部は90万円)
学費のいらない代表的な医療系大学	
自治医科大学	授業料などを貸与し、卒業後、所定の期間、指定された公立病院に勤務した場合、その返還は免除される。
防衛医科大学	在学中の授業料は免除され、在学中は給与と年2回のボーナスが支給されます。卒業後、9年間の自衛隊勤務をすれば授業料などの返還は不要です。

「我が子は200％かわいく見えるの法則」に則ってこのマンガは描かれております。

第３章　子どもができたらやっぱり保険？

こそだてひろば
マット
働くママたちは平日会えないから
最近寂しいのよね……
もうママ会も気軽に開けないもんね……
専業主婦の桃代さんに誘われて子育て支援施設にやって来ました
今度は土日に企画しますよ！私は平日でも仕事混み合ってなければ来れますし……
うん……ありがとう

私ね…もういくつか保険入ろうと思ってるの
え…っ学資保険入ってるんですよね?
うん……やっぱひとつの保険じゃ不安でさ
だって親になにかあったらこの子1人で生きていかなきゃいけないし…
そうじゃなくても夫の会社が倒産したりリストラされたらどうしようとか思うとね――
う~んどうかな~…
ウチなんかよりはよっぽど大丈夫だと思いますよ~…
ダンナさん一流企業の会社員なハズ
はぁ~つらいわ~
あ
私の知ってるFPさんのところに行ってみる?
…

【「もしも」の保険と「ため」の保険】

どっちも入れたらいいんですけどそんなに保険料払えないし…
うーん
だんなさま
ちゃんと選んでくれよー
どうしようって思ってるうちにもう子どもは生後8カ月で……
気が焦るばかりです
わかるー
そうですね皆さん同じトコで悩みますよね
それでは整理して考えましょう子どものために入る保険というのは大きく分けて2つあります
もしもの保険
ための保険
違いはわかりますか?
どっちも子どものための保険じゃないんですか?

もしもの保険
子のもしも
親のもしもにそなえる
保障
ための保険
教育費のための
貯蓄
ごっちゃになってしまっている人が多いんですよ
おお
たしかに２つを区別して考えたことがなかったな～
しかもこの２つが一緒になっているものも多いですよね？
親の生命保険だけど子どもの貯蓄のため…なんて商品もありますよね
大事なのは保険に入る目的です
そこを忘れずに上手に保険を利用していきましょう

【3つの財布を持つ】

「もしも」の保険も2つあって
それは親の「もしも」と子どもの「もしも」
子どもの医療保険は悩みますね……
こども保険
この子に何かあったらどうしようって
でもこの子のもしもって…考えたらキリがなくって
大ケガしたらどうしよう
スゴイ大病しちゃったらどうしよう…
モン モン モン
あら……桃代さん
お子さんは既に保険に入っていますよ
公的保障についてはうださんは前回勉強しましたよね
公的保障で乳幼児医療費助成がありますので…
あ、ハイ
何度も私教わってます
乳幼児医療費助成制度
乳幼児が医療機関で治療を受けた際に、その費用の全額または一部を自治体が助成してくれる制度です。
地域によって違うので役所で聞いてくださいね

なので全てのもしもに対応する保険に入ろうとするのではなく
保障
私的
保険
ガチガチ
公的保障ではまかなえないもしもを考えて
賢い保険選びをしましょう
公的
でも…公的保障だけで全てが保障されるわけじゃないですよね？
保険適用外の医療が必要になったり…
他の人をケガさせちゃったり…
いたっ
あっ
カサ
だからトラブルへの保険も必要かなって…
たしかにそういうケースもありますですが その場合のもしもには保険ではなく生活費のゆとりで対応する方法もあります
ゆとり？
よく言われるのが3つの財布を持ちなさいというコトです
？
生活費
貯金
下2つはわかりますが…
3つ目は何ですか？

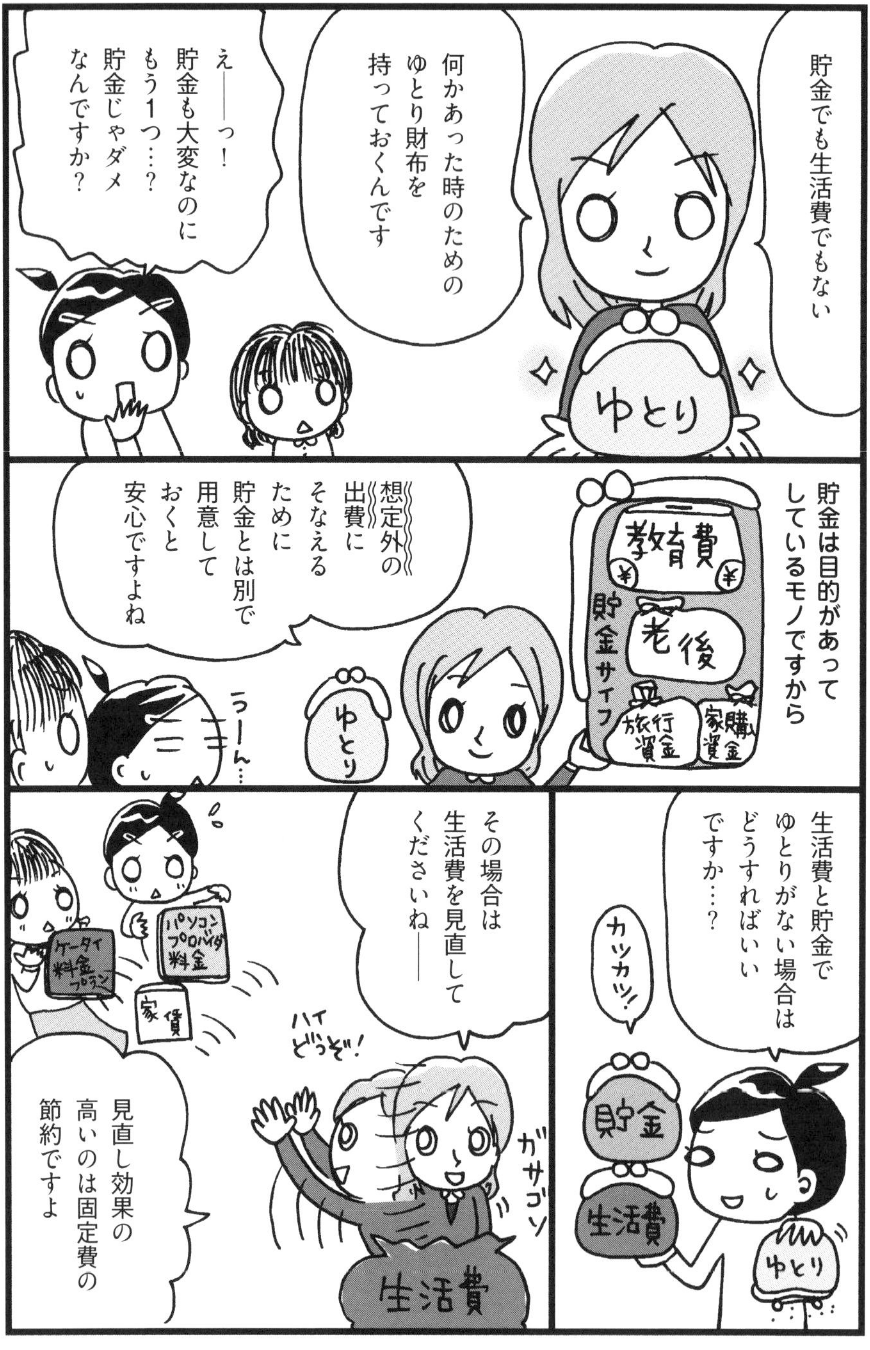

貯金でも生活費でもない
何かあった時のためのゆとり財布を持っておくんです
ゆとり
え――っ！貯金も大変なのにもう1つ…？貯金じゃダメなんですか？
貯金は目的があってしているモノですから
教育費
老後
旅行資金
家購入資金
貯金サイフ
想定外の出費にそなえるために貯金とは別で用意しておくと安心ですよね
ゆとり
う―ん…
生活費と貯金でゆとりがない場合はどうすればいいですか…？
カツカツ!!
貯金
生活費
ゆとり
その場合は生活費を見直してくださいね――
パソコンプロバイダ料金
ケータイ料金プラン
家賃
ハイどうぞ!
ガサゴソ
生活費
見直し効果の高いのは固定費の節約ですよ

ちなみに
ゆとり財布に余裕が
出てきたら…？
少しくらい
生活レベル
あげても
いいですか？
実は…
車をもう1台
ファミリーカーを買いたいんです♡
ゆとり
生活費
すぐに
生活レベルを
あげるのは
オススメ
しません！
あくまで
ごほうび程度に
しておきま
しょう
旅行にいったり
おいしいもの
食べたりね
とりあげっ
あれ〜〜
ゆとり
貯金
生活費
生活レベルを
一度あげてしまうと
もしも収入が減ったとき
悲しいですよね
生活レベルDOWN ← 生活レベルUP
駐車場代2倍
ガソリン代も…
維持費払えず
処分…
なんで？
想定外の出費の
ためにとっておく
それが〝ゆとり財布〟
ですよ
ゆとり
ゆとり財布
大切……！
もうひとつの「もしも」
親の万が一ですが…
私たち親に
なにかあったら
どうしようって…
できるだけのお金を
残したいって思います
そう……
親のもしもに
そなえる保険は
残された人（子）の
ための保険でも
あるのです
なのでこの後の
「ための保険」と
一緒に考えましょう

【「ため」の保険の考え方】

さて桃代さん
もしご主人が
今亡くなった場合
何が不安ですか？
え!?
そんな…
いろいろ
不安です
まずは
当面の生活費です
それから
子どもの学費
自分で用意できるか
不安です
そうですね
まずは生活の不安
がありますよね
ご主人が亡くなった場合
残った家族の生活を
保障する目的で入るのが
いわゆる生命保険です
生命保険
生活の保障
この保険はメジャーなので
ご存知の方も多いかと思います
それと
もうひとつ…
子どもの学費の不安を
解消してくれる「ため」の保険の
代表的なものが
子ども（学資）保険です
子ども保険（学資）
学費への保障
生命保険で学費まで
カバーできなくはないですが
学費は親にもしものことがなくても
必要になるので
学費は別で考えるのが一般的です

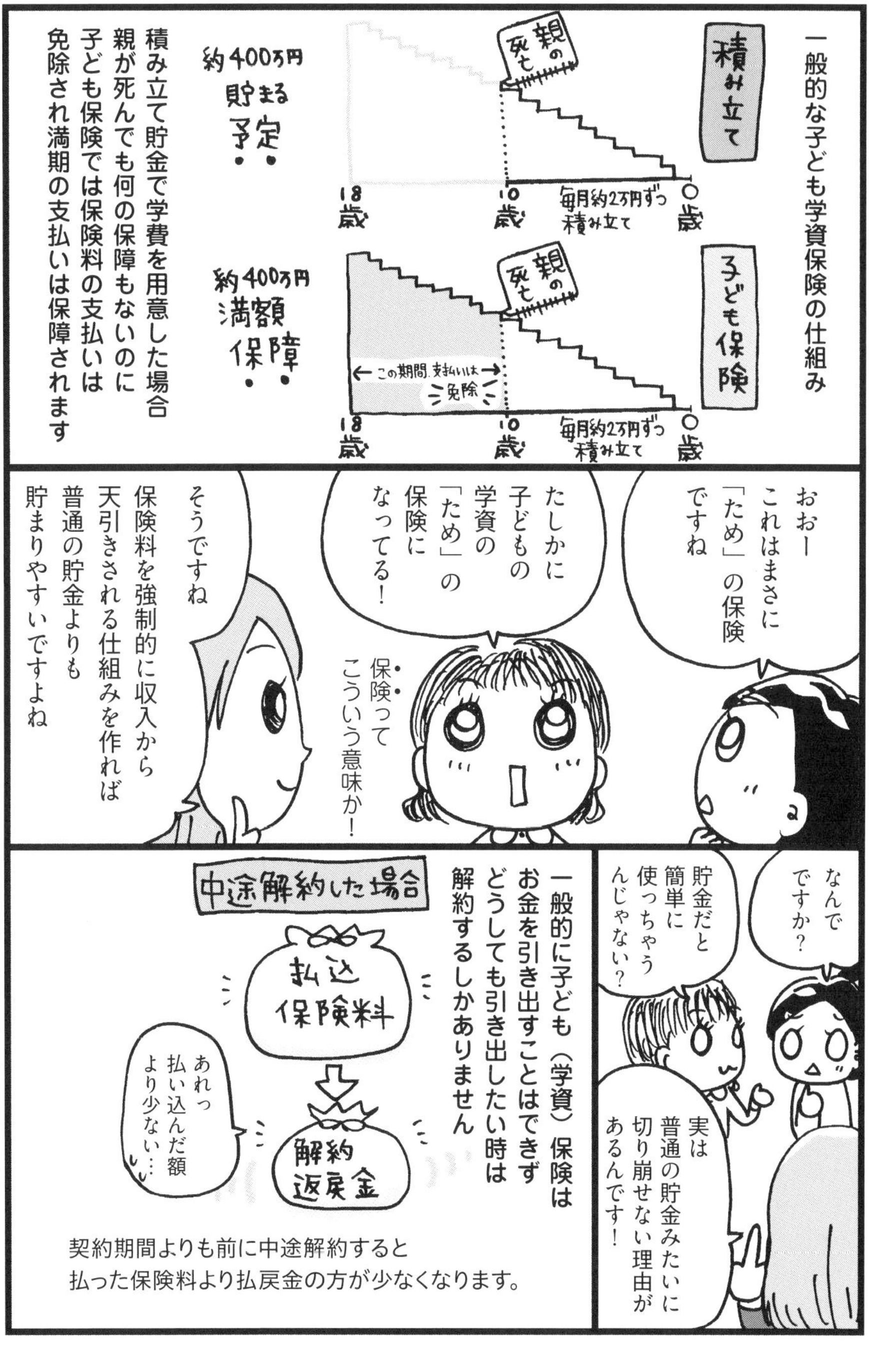
一般的な子ども学資保険の仕組み
積み立て
親の死亡
0歳
毎月約2万円ずつ積み立て
10歳
18歳
約400万円貯まる予定
子ども保険
親の死亡
この期間、支払いは免除
約400万円満額保障
積み立て貯金で学費を用意した場合親が死んでも何の保障もないのに子ども保険では保険料の支払いは免除され満期の支払いは保障されます
おおー これはまさに「ため」の保険ですね
たしかに子どもの学資の「ため」の保険になってる！
保険ってこういう意味か！
そうですね 保険料を強制的に収入から天引きされる仕組みを作れば普通の貯金よりも貯まりやすいですよね
なんでですか？
貯金だと簡単に使っちゃうんじゃない？
実は普通の貯金みたいに切り崩せない理由があるんです！
一般的に子ども（学資）保険はお金を引き出すことはできずどうしても引き出したい時は解約するしかありません
中途解約した場合
払込保険料
解約返戻金
あれっ 払い込んだ額より少ない…
契約期間よりも前に中途解約すると払った保険料より払戻金の方が少なくなります。

※想定外の出費を理由に解約するケースは少なくありません。

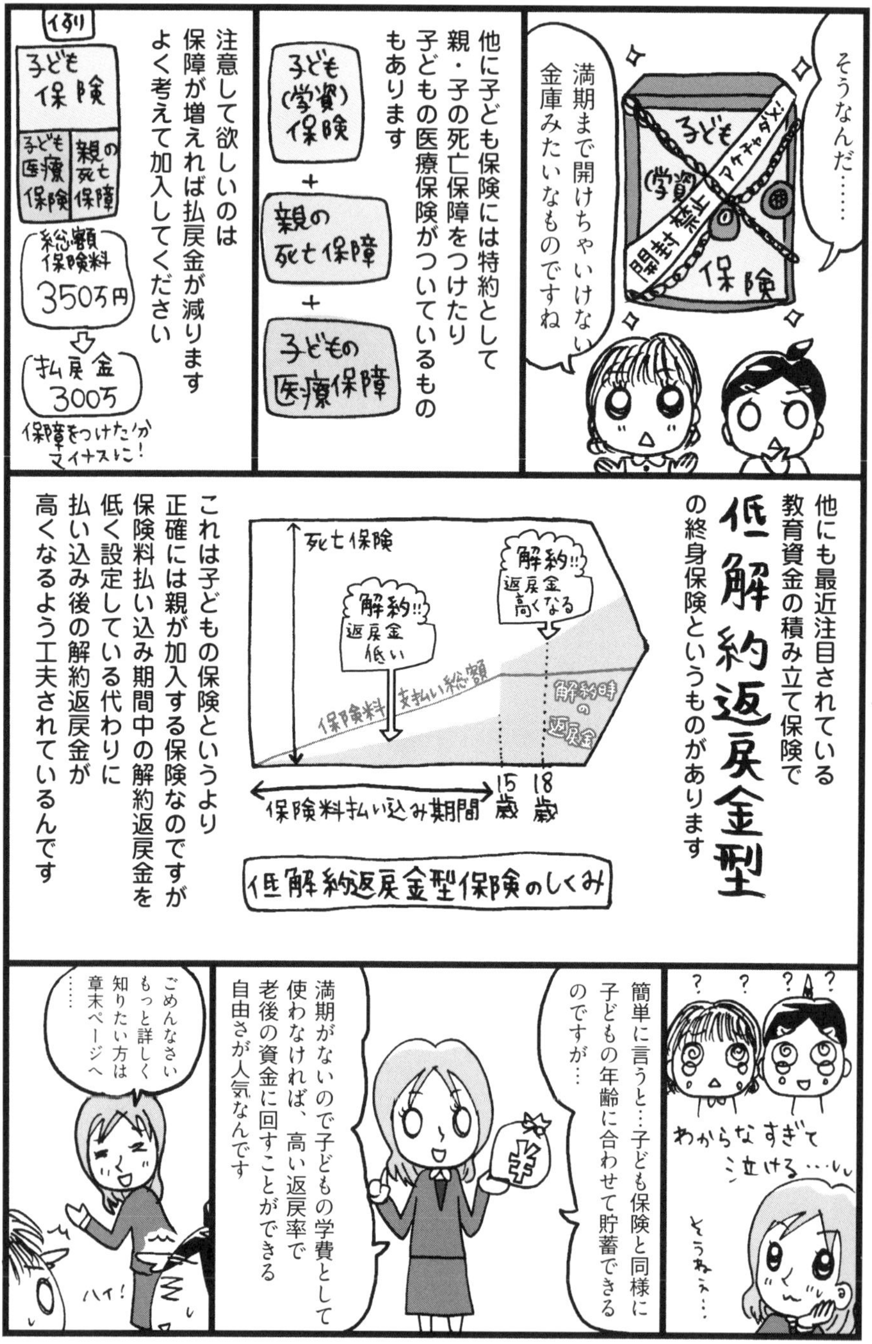

そうなんだ……
子ども(学資)保険
アケチャダメ!
開封禁止
満期まで開けちゃいけない金庫みたいなものですね
他に子ども保険には特約として親・子の死亡保障をつけたり子どもの医療保障がついているものもあります
子ども(学資)保険
+
親の死亡保障
+
子どもの医療保障
注意して欲しいのは保障が増えれば払戻金が減ります よく考えて加入してください
例
子ども保険
子ども医療保険
親の死亡保障
総額保険料 350万円
払戻金 300万
保障をつけた分マイナスに!
他にも最近注目されている教育資金の積み立て保険で
低解約返戻金型
の終身保険というものがあります
死亡保険
解約!! 返戻金高くなる
解約!! 返戻金低い
保険料支払い総額
解約時の返戻金
15歳
18歳
保険料払い込み期間
低解約返戻金型保険のしくみ
これは子どもの保険というより正確には親が加入する保険なのですが保険料払い込み期間中の解約返戻金を低く設定している代わりに払い込み後の解約返戻金が高くなるよう工夫されているんです
? ? ? ?
わからなすぎて泣ける…
そうねえ…
簡単に言うと…子ども保険と同様に子どもの年齢に合わせて貯蓄できるのですが…
満期がないので子どもの学費として使わなければ、高い返戻率で老後の資金に回すことができる自由さが人気なんです
ごめんなさい もっと詳しく知りたい方は章末ページへ……
ハイ!

【お金が貯まる仕組みを作る】

ウチは収入が不安定で毎月保険料を払っていけるか不安で……できるだけ貯金で対応したいと思っています
うださんは自営業ですものね
でも貯金って難しくないですか？
ムズカシイです
心折れそうです
使いたくなります
貯金で大切なのは仕組み作りです！
キリッ
1に仕組み
2に仕組み!!
ってくらい!!
入ってきたお金が……
先に貯金モード
ON!
ウイ～ン
アレっ来ないぞ
生活費
貯金
ベルトコンベアー
収入
ゆとり
いつのまにか貯まっているようにするんです
ウイ～ン
おっ来た来た～♡
生活費
貯金
ゆとり

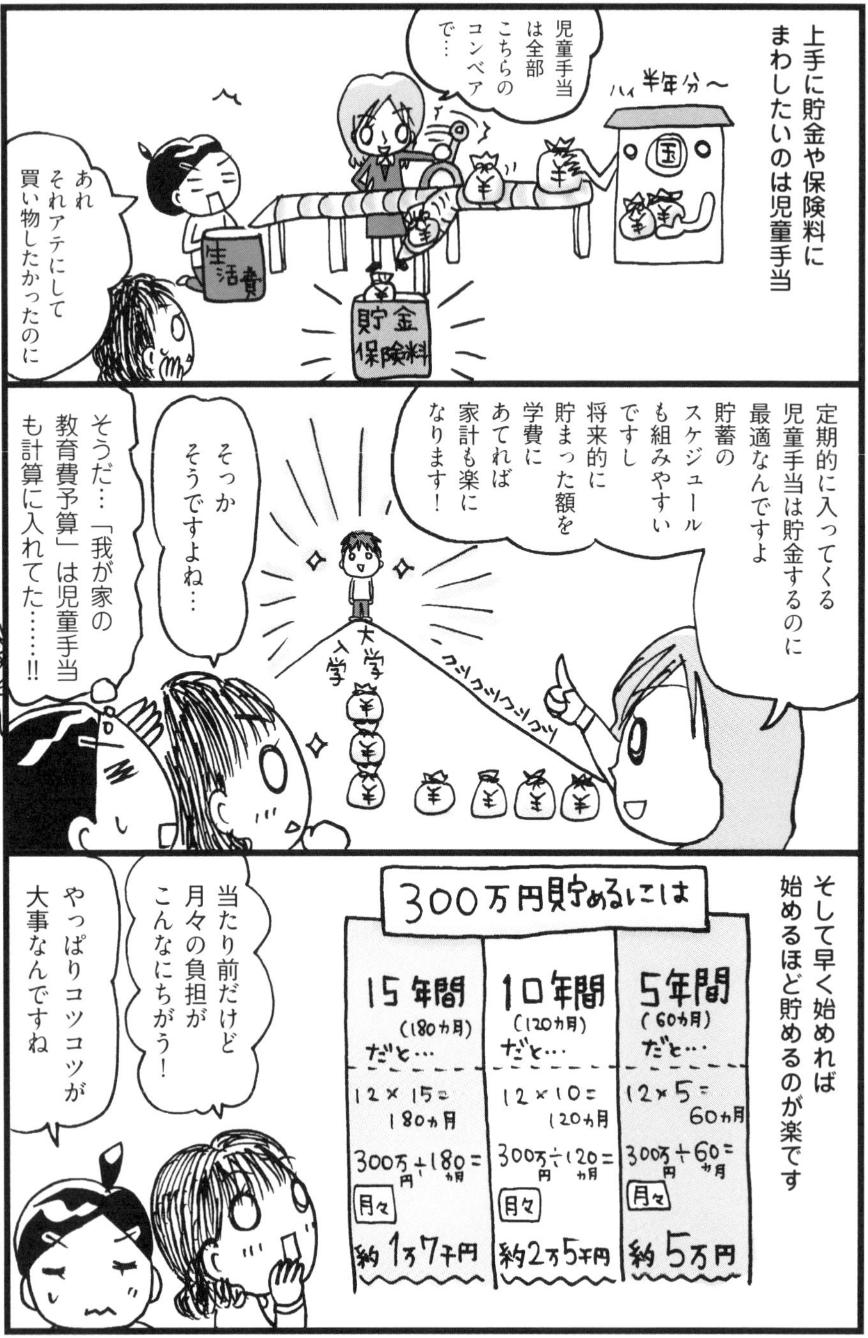
上手に貯金や保険料に
まわしたいのは児童手当
ハイ 半年分～
児童手当は全部こちらのコンベアで…
国
あれ それアテにして買い物したかったのに
生活費
貯金 保険料
定期的に入ってくる児童手当は貯金するのに最適なんですよ 貯蓄のスケジュールも組みやすいですし 将来的に貯まった額を学費にあてれば家計も楽になります！
コツコツコツコツ
大学入学
そっか そうですよね…
そうだ…「我が家の教育費予算」は児童手当も計算に入れてた……!!
そして早く始めれば始めるほど貯めるのが楽です
300万円貯めるには
5年間 (60カ月) だと… 12×5= 60カ月 300万円÷60カ月= 月々 約5万円
10年間 (120カ月) だと… 12×10= 120カ月 300万円÷120カ月= 月々 約2万5千円
15年間 (180カ月) だと… 12×15= 180カ月 300万円÷180カ月= 月々 約1万7千円
当たり前だけど月々の負担がこんなにちがう！
やっぱりコツコツが大事なんですね

そして
これらの商品を使えば
毎月決まった額が
口座から引かれるように
できますよ
自動積み立て定期預金
メリット 元本割れしない
デメリット 利息に期待できない
財形貯蓄
メリット 給与から天引きされる。元本割れしない
デメリット 利息に期待できない。導入してない会社もある。
投資信託
メリット 運用次第で高い利回りを期待できる
デメリット 元本割れのリスクがある
こども保険
メリット 確実に目標金額を貯められる
デメリット 保障次第で、元本割れすることもある
そういえばウチの旦那
会社の財形貯蓄が
どうのって言ってたな〜…
いつ？
いくら？
必要なのか
タイミングも
大事なので
気をつけて
くださいね
教育費最大の山場
18歳
大学！
桃代さんはすでに
子ども保険に入っているなら
これら他の金融商品と
組み合わせて学資の
準備をするというのも
手ですね
リスクを減らせます
確実に貯めたい
自動積立定期預金＋財形貯蓄＋子ども（学資）保険
運用しながら貯めたい
投資信託＋子ども（学資）保険
ふむふむ

ふ――――…
すごい…いろいろわかりました
でもやっぱり私……すぐに働いた方が安心ですよね…
子が小さいうちは一緒にいたいんですけど
厳しいかなー…
私は育児しながらできることもあると思いますよ
実は私…育児しながらFPの資格取ったんです
いくらでもやりようはありますし
育児落ち着いてからお仕事する場合のライフプランのご相談も乗りますよ
は ハイ!お願いします!

ありがとうございましたー
しかし…うちがお金持ちならこんなに細かく家計のこと考えなくて済んだのかな？
え…
どうだろうねお金持ちほどしっかり考えるって言うけど
あ 聞いてみます？
ちょうどこの後打ち合わせするんです
え？

知って良かった

本当に必要な保障額は各家庭バラバラ

基本的に必要な額のイメージ

このグラフであらわされる三角形が必要な保障額のイメージです。共働きの場合は、夫婦のための必要額は抑えられます。

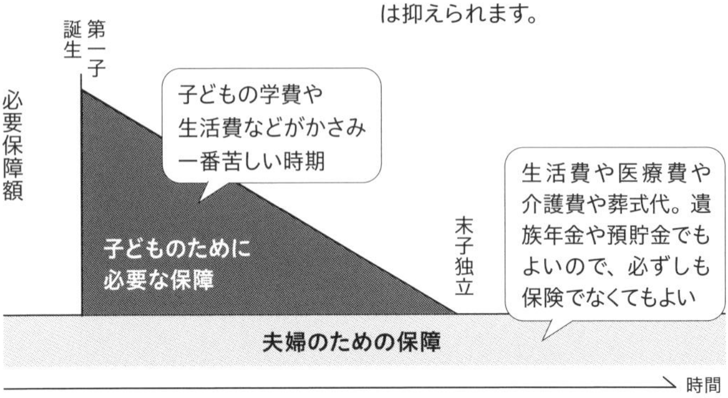

第一子誕生
必要保障額
子どもの学費や生活費などがかさみ一番苦しい時期
子どものために必要な保障
末子独立
生活費や医療費や介護費や葬式代。遺族年金や預貯金でもよいので、必ずしも保険でなくてもよい
夫婦のための保障
時間

子どもの教育費はずっと必要というわけではない

子育てをしていると実感しづらいですが、子どもが成長するにつれ、子どもにかかる必要保障額（教育費）は年々減っていきます。もちろん必要なお金は学習費だけではないので、各家庭ごとに必要な保障額を算出して、あなたの家庭にあった保険を設計することが大切です。

子どもの学費以外にかかるお金の平均額

出産育児費用	約 91 万円	22 年間の食費	約 671 万円
22 年間の衣料費	約 141 万円	22 年間の保健医療・美容費	約 193 万円
22 年間のお小遣い額	約 451 万円	子どもの私的所有物代	約 93 万円

出典：AIU 保険会社「現代子育て経済考 2005 年度版」より

「もしも」の保険を考える

各家庭では、どのような保険に加入して、どのくらいの保険金額をかけているのでしょうか。

加入している保険ランキング

加入している保険ランキングでは生命保険が納得の1位となりました。事故や病気で亡くなった場合に対応するためには生命保険が一番身近なようです。

どんな保険に加入していますか？

1位	生命保険	94.6%
2位	自動車・バイク保険	80.2%
3位	医療保険（ガンなどの病気）	76.4%
4位	住まいの損害保険（火災・地震等）	72.0%
5位	医療保険（ケガなどの損害）	47.8%
6位	子どもの医療保険	41.6%
7位	医療以外の子ども保険	31.6%
8位	県民共済・こくみん共済	28.0%
9位	年金型保険	26.2%
10位	旅行・レジャー保険	5.8%

となりの芝生ホームページ 2008年3月
調査対象　子どもを持つ30～45才の母親（インターネット調査）

夫にかける保険

保険金ランキングでは、保険に加入している人たちのうち３０００万円以上に加入している層が全体の39・8%、３０００万円未満が44%。子どもの数や環境によっても違いますが３０００万円をひとつの目安にしている家庭が多いようです。

夫にどれくらい保険金額かけてますか？

1位	3000万円～4000万円未満	22.6%
2位	2000万円～3000万円未満	22.4%
3位	1000万円～2000万円未満	13.4%
4位	答えたくない	13.2%
5位	4000万円～5000万円未満	9.2%
6位	500万円～1000万円未満	6.6%
7位	6000万円以上	4.0%
8位	5000万円以上～6000万円未満	4.0%
9位	生命保険に加入していない	3.0%
10位	100万円～500万円未満	1.4%

となりの芝生ホームページ　2008年7月
調査対象　子どもを持つ30～45才の主婦（インターネット調査）

子どもがいる家庭のもしもの保険をかける優先順位

① パパの死亡保険

一家の大黒柱がパパの家庭の場合は、しっかりと保障をつけましょう。

② パパとママの医療保険

自営業やフリーランスの場合は、公的な保障が薄いので、病気の時の収入保障のつもりで。

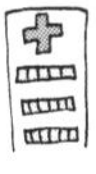

③ ママの死亡保険

共働きの家庭であれば、ママの死亡保障も大切です。

子どもの医療保障について

子どもの医療保障は医療費の助成があるので、多額の医療保険に入る必要はありません。もちろん自治体によって医療費の助成にバラツキがあるので、県民共済など、掛け金が千円程度の支払い額の低い保険を検討するのがベスト。

かしこい保険選びは順番を守って考える

死亡保険と医療保険に入る前に

色々な保険商品のパンフレットを眺める前にやっておきたいことがあります。

1 公的保障の確認

加入している公的年金・健康保険の種類によって、給付内容が異なるので、自分がどの健康保険に加入しているか確認してください。

2 必要額の算出

子どもが何人いるのか?、家は持ち家か賃貸か?など各家庭の事情で必要額は変わります。

3 保険の種類を選ぶ

生命保険には「定期保険」「終身保険」の2つがあります。また「収入保障定期保険」や「逓減定期保険」など特徴ある保険もあります。

1 公的保障の確認

病気・ケガにまつわる公的保障

◆国民年金保険
厚生年金保険

公的年金には65才以上にもらえる老齢年金だけではなく、病気や大きなケガで障害を持った際に支給される「障害年金」、遺族に支給される「遺族年金」があります。

◆労災保険

会社員の人は、仕事が原因で起きたケガや病気の保障を受けられます。保険料は会社が全額負担しています。

◆健康保険・国民健康保険

基本的に病気やケガの治療費の窓口負担が3割になります。「高額療養費制度」では、一般的な年収の人で自己負担限度額はひと月に約8万円です。なので、1カ月にかかる医療費の最大は約8万円+雑費代が目安になります。そのほか、会社員の方は、「傷病手当金」などが受けられます。

一般的な医療保険の保障額の目安
自営業なら　入院1日／1万円
会社員なら　入院1日／5千円

パパの死んだママと子どもへの公的保障を知る

◆遺族基礎年金（パパが自営業・パパが会社員）

子どもが18才になるまで、ママに支給される。子ども1人で年約102万円。2人で約124万円。

◆遺族厚生年金（パパが会社員）

生前のパパの給与に応じて計算された額が、ママが死ぬまで支給される。ただし、パパの死亡時、ママが30才未満で子どもがいない場合は5年間のみ。

◆中高齢寡婦加算（パパが会社員）

遺族基礎年金の支給条件を満たさないママに、遺族厚生年金に加算して支給される制度。パパの死亡時にママが40才以上。または、子どもが18才になった年度末にママが40才以上であること。ママが65才になるまで支給。年約59万円。

2 必要額を算出してみる

Let's 質問に答えながら、パパの万が一の場合の我が家の必要額を確かめていきましょう。

Q1 共働きですか？

YES －1000万円

NO

Q2 持ち家住まいですか？

YES（※）

NO ＋1000万円

※ 住宅ローンの返済中でも、パパがローンの名義人の場合、すでに団体信用保険に加入しているので、答えはYESです。

Q3 自営業ですか？

YES ＋1000万円

NO

Q4 パパに何かあったとき実家に帰れますか？

YES －1000万円

NO

Q5 子どもが3人以上のとき

1人つき＋500万円

子どもが0才児なら3000万円からスタート！

あなたの家の必要保障額

＿＿＿＿＿＿＿＿万円

ママの生命保険の保障額の目安

専業主婦パートのとき　500万円

会社員のとき　1000～2000万円

Q1 共働きの場合は、ママの収入があるので、パパの保障額は減らせます。その場合は、ママの生命保険について検討を。

Q2 ママが共同名義でローンを組んでいる場合は、パパの分しかローン帳消しにならず、ママの分のローンは残ります。要注意。

Q3 会社員のパパの場合は、亡くなった時、遺族厚生年金などの保障がありますが、自営業のパパにはその保障がありません。

Q4 実家であれば、住宅費がかからず、さらにはママも働ける可能性が広がるので、パパの保障額を減らせます。

Q5 子どもが増えたら、その分保障を増やしましょう。

3 保険の種類を知ろう

終身保険

自分が先に死んだ場合、残された家族への一生の保障

死亡保障額のイメージ

死亡までずっと
一定額を保障
時間
子ども誕生

死亡時に必ず保険金が受け取れるが、保険料は高めに設定されています。貯蓄性があり、解約時に払い戻し金がある。

定期保険

子どもが大人になるまでの期間の保障を

死亡保障額のイメージ

定めた期間中、
一定額を保障
時間
子ども誕生
社会人

定めた期間に死亡した場合のみ保険金が出る「かけ捨てタイプの保険」。保険料は安めで保障額は大きい。

定期保険のバリエーション 逓減定期保険・収入保障定期保険

子どもへの最低限の保障を

死亡保障額のイメージ

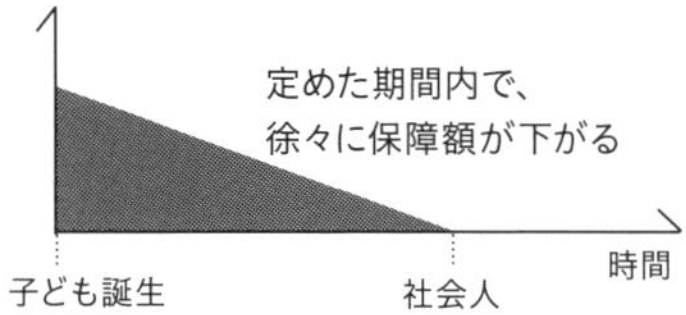
定めた期間内で、
徐々に保障額が下がる
時間
子ども誕生
社会人

子どもの成長に合わせて、合理的に保障額が下がっていく保険。保障額が同額ならば､保険料は定期保険よりも安い。

我が家にあった保険の選び方

必ずどれかのひとつの種類を選ばないといけないわけではなく、これら保険の種類を組み合わせて、我が家に合わせて設計すれば、よりぴったりな保障を得ることができます

知って良かった

死亡保険のかけ方

保障は欲しいけど、保険料を安く抑えたい人は、定期保険を活用して、保障を確保しましょう。

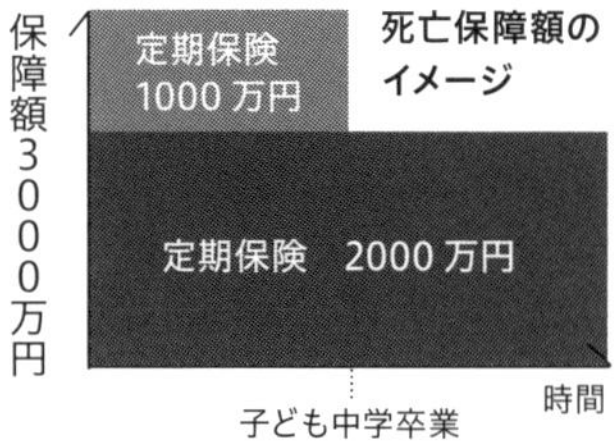
保障額3000万円
定期保険
1000万円
死亡保障額の
イメージ
定期保険　2000万円
時間
子ども中学卒業

必要な時期に必要な分だけの保障を

保障期間の違う2つの定期保険に加入するやり方です。中学卒業までは3000万円保障するものの、それ以降はそこまでの金額は必要がないので、1つの保険だけで大学卒業までを保障します。

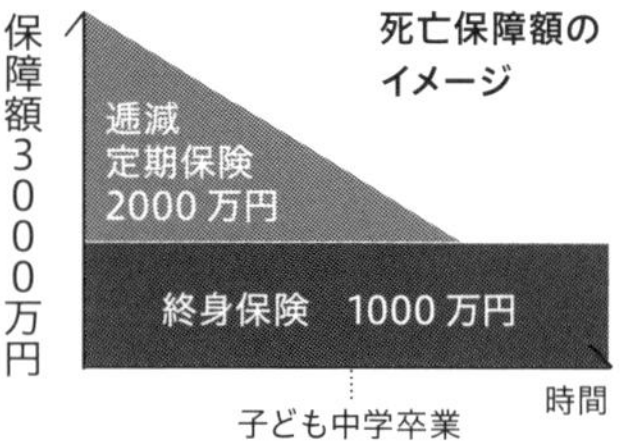
保障額3000万円
死亡保障額の
イメージ
逓減
定期保険
2000万円
終身保険　1000万円
時間
子ども中学卒業

家族への保障+教育費や老後の積立

保障額 3000万円（終身保険 1000万円+逓減定期保険 2000万円）でスタートするものの、子どもの成長に合わせて保障額を減らしていく設計です。子どもの大学卒業とともに逓減定期保険部分は終了。

それぞれの メリット 生かす!

「ための」保険を考える

子ども保険（学資保険）は2人に1人が利用

どうやってお金を貯めるかは、各家庭に合ったやり方がありますが、貯金をするコツは、**収入－貯金＝生活費**の仕組みを確実に作ることです。**収入－貯金＝生活費**の仕組みではお金は貯まりません。子ども保険（学資保険）は強制的にその仕組みを作ってくれるので、返戻率が多少低くても加入する人が多いようです。

教育費の貯め方ランキング

1位	普通預金	64.8%
2位	定期預金	59.2%
3位	子ども保険（学資保険）	54.2%
4位	株式投資	11.2%
5位	投資信託	9.8%

となりの芝生ホームページ　2008年3月
調査対象　子供を持つ30才～45才の主婦
インターネット調査

子ども保険の種類

もしものときに保険料の支払いが免除され、満期金が受け取れるので、親の生死にかかわらず、教育費の準備ができます。積立がメインの貯蓄型と保障が充実した保障型があります。

◆積立がメインの貯蓄型

メリット

普通預金よりも効率よくお金を貯められます。子育てにお金のかからない時期に払い込みを終え、必要な時期（大学入学時）に払い戻しされる商品が人気。

デメリット

上乗せで保障がついていないので、保険としての機能が低くなります。

◆保障が充実した保障型

メリット

親が亡くなったときに、年金形式で保険金がもらえる育英年金や、子どもの医療保障などの保障が上乗せでつきます。

デメリット

払った保険料よりも受け取る金額が少ない、いわゆる元本割れをしやすい

低解約返戻金型「終身」保険について

終身保険は、保険に入った人がいつ亡くなっても保険金がもらえる保険です。また、保険料の一部が保険会社の中で積み立てられて増えていくので、途中で解約するとそれなりにまとまったお金（解約返戻金）が戻ってきます。つまり保障性と貯蓄性の両面の特徴があり、これに注目すると、子ども保険に求めているのと同じ機能を手に入れられます。低解約型終身保険は、保険料払い込み期間中の解約返戻金を低くしているかわりに保険料が割安に設定された、終身保険の一種です。保険料の払込期間が比較的自由に設定できる（ただし10年以上としているものが多い）ので、子どもの年齢に合わせて貯蓄できます。たとえば、子どもが7才のときに払い込み期間を10年としておけば、17才以降に解約して、通常の終身保険と同水準の解約返戻金を受け取れます。しかも、解約をしなければ、その後も解約返戻金は増えていきます。

通常の終身保険との比較

◆通常の終身保険

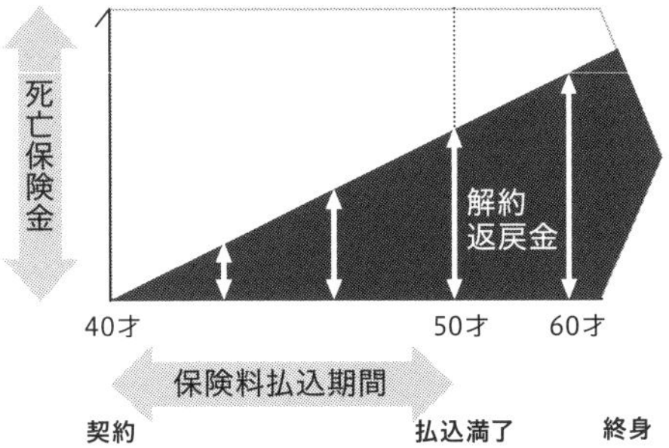
死亡保険金
解約返戻金
40才
50才
60才
保険料払込期間
契約
払込満了
終身

◆低解約返戻金型終身保険

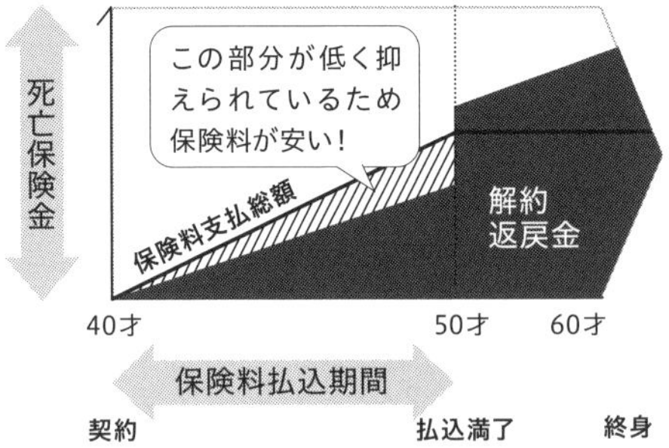
死亡保険金
この部分が低く抑えられているため保険料が安い！
保険料支払総額
解約返戻金
40才
50才
60才
保険料払込期間
契約
払込満了
終身

メリット

- 払い込み期間が終われば返戻率がアップする。
- 子どもの年齢に関係なく加入できる。
- 解約しないで据えおいていたら、返戻率はどんどん上がっていき、保障も続く。
- 途中で契約者に万が一のことがあった場合、保険金で教育費をまかなえる。

デメリット

- 必要時に解約手続きをしなくてはならない。
- 払込期間中に解約すると元本割れしてしまう。
- 子どもを被保険者とした医療保障・死亡保障などはつけられない。

低解約返戻金型終身保険（加入例）

- 契約者の死亡保障 500 万円
- 払込期間 15 年
- 18 年後に解約した場合

保険料　月額 1 万 5640 円
15 年間払い込んだ保険料総額
281 万 5200 円

↓

18 年後の解約返戻金　約 304 万円
（解約しなければ、増え続けます）

知って良かった

他にもある教育費の積み立て方法

◆一般財形貯蓄

会社を通じて提携した金融機関で行う積み立て貯蓄。使い道が自由な一般財形貯蓄のほかに、使い道は限定されますが、一定額まで利息は非課税になる住宅財形、年金財形があります。

メリット

- 給与からの天引きで 1000 円から利用できる。
- 定期預金よりも金利が優遇されている。
- 元本割れがない

デメリット

- 会社が財形を導入していなければ、利用できない。
- 転職時には解約しなければいけない場合も。

◆自動積み立て定期預金

積立の中でも一番手軽に始められる。普通預金の口座から毎月決まった日に決まった額を積み立て用預金口座に移してくれる商品です。給与振り込み口座から給料日の翌日に振り替えるように指定すれば、確実に貯められます。

メリット

- 金融機関に申し込めば、すぐに利用できる。
- 元本割れがない。
- 毎月の積み立て額を自由に設定できる。

デメリット

- 利率が低い。
- 総合口座にしておくと、簡単に引き出せる。

◆個人向け国債

国が発行する債券のうち、個人を対象とする商品。10 年満期の変動金利タイプと 5 年満期の固定金利タイプ、3 年満期の固定金利タイプがある。定期預金よりも高い金利がつくのが魅力。

メリット

- 元本割れがない。
- 通常の定期預金よりも金利が高め

デメリット

- 中途解約には手数料がかかる。
- 最低でも 2、3 年は動かさないのが基本。

◆投資信託

多くの投資家から集めたお金をまとめて、専門の運用会社が世界中の株や債券などに投資。運用で得た利益を投資金額に応じて分配する仕組みです。なかには 1000 円から購入可能なものも。

メリット

- 投資金額が、分散して投資されるため、ひとつの商品を買うよりもリスクを分散できる。
- 運用次第で高い利回りを期待できる。

デメリット

- 元本保証がない。

コツコツと少額からでも始められるので ゆとり用の財布を育てる感覚でもOK

世界で一番心配性
全世界的に見たら
日本は世界最長寿の国
保険が一番必要ない
国民なのに
保険料の支払額は
世界一だそうです
もしも
オレが
死んだら
妻と子が
心配だ…
世界一心配性な国
とも言えますが…
もしも
オレが
死んだら
妻と子が
…
もしも
オレが
死んだら
…
モゴモゴ
いや…
もう大丈夫
だっつーの
!!

節目ごとに保険の見直しをしましょう

第４章　お金があれば、良い子育てができますか？

お子さん産まれたんだってね…
おめでとう!!
僕もちょっとだけ話をしたいと思ったんです
あ…ありがとうございます!
はじめての子育ては大変でしょうね
……
ハイ!もう…あいかわらず勘違いしたり遠回りしたりしてます……
一番の悩みはやっぱり……教育費ですね
節約したり保険のことをもう一度勉強し直しています
でも 正直言って泉さんはお金持ちですし…子どもにかけるお金で苦労なんてしませんよね
英才教育しほうだい!
ハーウラヤマシ

いやいや皆さんが思うほどかけてないですよ
ウチなんて特別なことはしてないし子どもに小遣いだってあげてないですよ
え…そうなんですか？
そもそも何かを学ぶとき最も必要なことは何だと思いますか？
え…っと何だろう環境…ですかねあと本人のやる気とか…？
ね
確かに環境もやる気も大切ですがもっと重要なことがあるんです
たとえばうださんコレ読んでみてください
ハイ
××商事××年度
決算書
決算書
はあ。
読んだら感想聞かせて
損益計算書
売上高
売上原価
売上総利益
販売費および一般管理費
減価償却費
研究開発費
営業利益
受取利息
支払利息
経常利益

スミマセン…決算書みたいなんですが最初から何が書いてあるかわかりません！
そうですね
やる気があっても難しいですよね
決算書というのは会計を学ぶものにとっては最高の教材ですが
読む準備ができていないとちんぷんかんぷんですね
おぉ〜今期の下がりハバスゴイな〜
??
決算書
では準備をするためにはどうするのか？
お金をかければ準備をできますか？
実は学びの過程とはステップを踏む過程のことです
お金をかけてもステップを踏んでいなければ次には進めません
順番を無視してなんでもかんでも与えればいいわけじゃない
ど〜ん
ステップを踏むことで人間は成長できます
面倒臭がらずしっかり基本を学べば人は驚くほど高みに登ることができるのです
実践
応用
基本
STEP 5
STEP 4
STEP 3
STEP 2
STEP 1

教える側は学びのステップを踏む上で今何が有効なのか
決算書読むにはコレカナ～？
会計のキソのキソ
会計のキソ
決算書の読み方
はしっ
決算書読み方
相手のために選ばないといけないんですよ
ぐいっ
会計のキソのキソ
会計のキソ
決算書の読み方
コレが今の私に有益なモノ……？
会計のキソのキソ
ここからはじめよう！
私のために選んで下さって…ありがとうございます
会計のキソのキソ
いくら優秀な教材や優秀なスタッフに恵まれてもそれだけでは成長につながりません
その人にとって一番ふさわしいステップとタイミングを見極めてあげることが大切なんですよ
会計のキソのキソ

タイミングを無視して
お金をかけてしまうと
コレ全部！
大人買い☆
しめて
ゴマンエン～！
上級者向け 会計本ベストセラー
会計学 上級編
……
ゴマンエンがムダに！
ちんぷんかんぷん
宇宙語
いくらお金持ちでも
そんなことは
誰もしませんよね
色々して
あげたくなる
気持ちはわかります
今のうちに！と
焦る気持ちも
あるのでしょう
でも湯水のように
お金を使うことには
何の意味も
ありません
がじ
がじ
ABCD
EFG
HIJK
ギャーッ!!
5,000円の
教材がーっ
子どもと向き合って
この子に今何が
必要かを代わりに
見極めてあげる
それだけで
いいのです
キャーーッ
ガラガラ

【子どもに身につけさせたい２つの力】

僕は子どもにはとにかく色んな経験をさせたいと思っています
いろんな国
地域
海外経験
いろんな人種
いろんな価値観
ハア〜？
文句通じない
練習
スポーツ
勝敗
オーケストラ
音楽
山登り
いろんな体験
わー素敵ですね……！
でもすごいお金かかりそう……
お金持ちはやっぱりいいですね
たしかにお金があれば選択肢は増えますが目的はそこではありませんよ
経験をたくさんさせる目的は２つあります
目的……２つですか？

ところでうださんは
いつ頃から漫画家に
なろうと思いました？
私は物心ついた時には
すでに漫画を
描いていて
自分は当然
漫画家になると
思い込んでいました
漫画を読むか
描くしかできない
子どもだったので
いつも親に怒られ
てました……ね
べんきょーせーー
し……してるよ！
うそつけっ
かくしっ
ではうださんは
漫画家になるのに
誰の支援も
受けなかった
んですか？
し……
支援？
はあ…
そうですね……
親に内緒で
Gペンを買ったり
「漫画家になるには」
なんて本を
お年玉で
隠れてこっそり
買ったり……
支援なんて…
とても…
INK
これで私はマンガ家よ～
ぐふふ

おおー！
それは
素晴らしい
ですね
その努力が
今の
うださんに
つながって
るんですから
そ…そうで
しょうか？
こんなでした
けど…
てれてれ
授業中、教科書で
隠してマンガを描く図
まあ……
そうですよ
誰に言われるまでもなく
自分で1つの道を
探求していく……
そんな強くて
無垢な力……
それが僕が子どもに
つけさせたい力の
ひとつ目……
深掘《ふかぼ》り力《りょく》です
フカボリ
リョク
!?

2つめは環境適応力です
カンキョウテキオウリョク？
カメレオン的な？
世の中には国や地域によって
いろんな常識やルールがありますね
たとえば外国での仕事の場で……
遅い……アポは午後1時なのに……！
イライラ
イライラ
ウロウロ
ビジネスなのにありえない!!
オーマターセデ〜ス
ソーリ〜
こんな時
仕事をなんだと思ってるんですか？50分も遅刻するなんて…もう帰る！
WHY？なんで怒ってるの？
昼ご飯の後に休みを取るのはジョーシキだろう？
……なんてなるより

午後1時と聞いたんだけどすっごい待たされるな〜
ガチャ
へ〜イ待ちくたびれて足に根っこが生えると思ったよ！
ソーリー ソーリー 愉快な ジョークだ〜
じゃあMTG《ミーティング》しようか！
ハグして話を進める方がいいですよね
ひとつの常識に縛られずに
柔軟に生きていける能力
それを環境適応力と呼んでいます
僕はこの……人の魅力を決定づける2つの能力を
子どもに身につけさせたいと思っているんです……

そっか……！
その2つの能力を得るためにはとにかく色んな経験をさせればいいんですね！
なんでもかんでもやらせるわけじゃないですよ
世の中にあるもの全てをやらせるわけにはいきません
先ほど述べたタイミングも重要ですし向き不向きも判断しないといけないですね
サッカー
ピアノ
Dance
English
1234567
知育
書
リトミック
バイオリン
水泳
体操
漢字
かきかた
でも子どもが小さいうちは判断できませんよね
じゃあ誰がするんですか？
私……ですか？
親が選ぶんですか？
そう 子育ては親の判断力も同時に試されているのです

僕は子どもの教育をそうやって選んでいます
スポーツ
ピアノ
子の教育
なるべくこの子のためになりそうなものをすこしづつ……10年先でも廃れないような基礎的な能力をタイミングやステップを選びながら身につけさせたいと考えています
ただそれは子どもが10才くらいまでのことだと思っています！
10才まで…
深掘り力さえついていればあとは本人が選びますから…
オレ…コレ！
それまではある程度の道案内は必要だと思います

【子どもの教育で親ができること】

つまり……私たち親が必要な教育を的確に選ばなきゃいけないんですよね
プレッシャーです……
失敗はゆるされない…!?
なんかもう…お金かけて有名私立小学校に入れちゃった方が楽なんじゃないかな………
まあね～そしたら環境は最高だし先生は優秀な人だらけでおまかせできますよね
遠い目
有名私立小学校!!
そうねやっぱりお金あればいいわねお金かければこの子の将来の可能性が広げられるし……!
可能性を広げる……
可能性を広げることと教育と何か関係があるのですか?
え!?

教育において大切なのはその逆ですよ
ええ？可能性を狭めるということですか？
お金持ちの言うことはわからない……
だってお金をかけて可能性がいっぱいあったとしても
それが子どものためになるとは限らないですよね
あ…
お金をかけるのって子どものためになる？
で…でも…
じゃあ お金をかけるのは子どものためにならないってことですか？
子どもの教育のためになるなら使った方がいいのでは……？

では…お聞きしますが子どもの教育のゴールって何ですか？
ゴール…
最終的に…
えーっと……自立……でしょうか？
そうです！
子どもが親の手を離れて山の頂上に登り詰めたイメージを思い浮かべてください
GOAL
山は自分の足で登らなくてはいけない
GOAL
それまで積んだ学びや経験はすべてこのときのためのものです
つまり親が子にできることとは
GOAL
その山のフモトまで連れていくことなのです

フモトに至るまでのルートには無限の可能性が広がっていると言えます
0歳からの英才教育
ベビースイミング
知育
リトミック
音楽
ピアノ
音感
Dance
スポーツ教室
体操
野球
サッカー
とにかく沢山のことをやらせることもできますし
ファイト!
特別なことは何もしないという道もあります
近道だから正解というわけでもない
最終的に山を登り詰めることが目標ですから
正直どのルートを選んでもいい
GOAL
あ…ひょっとして!
本当に必要な力っていうのは
山を登るときに自分で登りきる力と自分に合ったルートを選ぶ力ですか……!
GOAL

そう…その2つの力をつけることができれば
いざ山を登るときに……
この山は一見一番遠回りのようなDルートが一番いいルートなんだよ！
おかーさん知ってた？
攻略に便利なグッズはお年玉で買っておいたんだ！
オレのMEMO 山攻略!!
テッテー調べ!!
へぇ～
好きなことをトコトン探求する深掘り力があれば万全の準備をすることができ…
登りはじめてからは……
う～ん……思ってたのと違うなぁ～こんなハズじゃなかったな～…
でもまあなんとかしよう！
暑いから脱いじゃえっ
ポイ
環境適応力があれば予想外のトラブルにも柔軟に対応できます

2つの力…無敵じゃないですか…!!
?
つけようね　かーちゃん　がんばるからねっ
でもね……お金持ちはついしがちなんですよ…
ゴオオオオォォ
お金を使って楽させてしまうことを
ゴオオオオォォ
JET
8合目まで送って行くわ!
それでは本人の力はつきませんからね使うの我慢してるんですよー
これがなかなかムズカシイんです
お金持ちの悩み……うらやましい…!!
お金をかければいいってもんじゃないこと……
2つの力をつけなきゃいけないこと…
ふむ…
じゃあいったいどんな経験をさせればいいんでしょうか?
0歳から英才教育
ベビースイミング
音楽
いろんな可能性が—…

コレを思い出して
会計のキソのキソ
ここからはじめよう!
コレは今の私にとって有益な本…
会計のキソのキソ
…
そうです
学ぶときにステップが重要だったようにお子さんに日々成長するお子さんに合わせて1つの道を選んであげてください
ひとつの道…可能性を狭めるってことですか?
前に進むとはそういうことです……たとえその道が遠回りでもいいんです
CHOICE
この先どうするか親子で考えて経験から学び取って…山のフモトまで歩いてください
ちょっと急な坂道だったね
少し休もうか

そうすることで…
この子に2つの力が身につくんですか？
僕はそう思います
でも…
どうやって？
知育
ピアノ
Dance
私が選ぶの？
私の力で？

この子と
一緒に……
わかりました…!!
私にも…
親にも必要
なんですね…
2つの力!

この子にとって
何がいいのか
いつがいいのか
考えて調べて
私も深掘り力を
身につけよう
サンプル
CD
うた
English
そして……
いろんな所に
飛び込んで
みれば
いいんだ
リトミック体験会
その度に
考えて私も
環境適応力を
鍛えよう
そうやって
親も日々
学んでいく
んですね……

そうですね
……
僕は
思うんです
親自身が学ぶ
ことも含めて
子どもの教育
なんじゃないかなって
はあ
…
おっと…もう
こんな時間だ
ハイじゃあ
ここまでね
新屋さ～ん
ハーイ
泉さん
ありがとう
ございました－！

私…
お金がないと子どもにろくな教育を受けさせられないと思ってたんだけど
それは思い込みだったみたい…
そうですねー
少し気が楽になりました
たしかに子が自立しなきゃ教育の意味ないわよね
大前提を忘れて良い教育を受けさせるばかりが親の義務だと思ってました
子どもが自立するまでのサポートか…当然のことなんだけどこんなにしみじみ思い知るなんて……
濃い時間だったわ…
美貴さんや睦子さんとも久しぶりに会って話したくなってきたわ！
いいですねママ会企画しますか！

Financial conversations for a mother and child.

This is for you, who thinks she cannot raise a child without money.

第５章　ワーキングマザーの生きる道

キャッ
キャッ
ぐいぐい
ガン!
ガン!
ガン!

睦子さん 美貴さん……
お疲れさまです……
お2人とも大丈夫ですか……?
誘って無理させちゃったかな……?
いやごめんね せっかく誘ってくれたのに……
ちょっと疲れてるけど大丈夫!
私もちょっと眠れてないだけで…大丈夫だよ……

保育園入って3カ月
仕事復帰して2カ月半
……
最近やっと
慣れてきた
とこね
メーカーの
企画部で
バリバリ働く
睦子さんは………
妊娠中から保育園の
ことが気がかりで
準備していたにもかかわらず
会社
駅
駅
保
駅近の
認可保育園の
審査は通らず
自宅
保
横浜保育室
ギャー
現在は自宅近くの
無認可保育園に
男の子を預けています
育休延長
するかどうか
悩んだけど
あんまり
長いこと
休むのも
不安だしね
浦島太郎
状態
新商品
新ルール
新人
新システム
まあ
無認可だから
保育料
高いし
月6万円♡
会社から遠い
保育園だから
時短勤務にしないと
迎えにいけないから
収入減るし……
2時間短縮で
20%減なのよ
ウチ
もう
ヒーヒーなんだけどね

ウチは私が
新しい仕事になかなか
慣れなくてね……
妊娠を期に
退職したけど
結局再就職した
美貴さんは……
やめて イタイ やめて イタイ
仕事も保育園も
自宅近くで探して
保
自宅
徒歩10分圏内
Dental clinic
受付
なんとか
認可保育園にも
入れたし
歯医者受付の
仕事も週４で
始められました
認可に
スムーズに
入れたのは
ラッキー
なんですけど
去年は退職金もあって
収入多くて……
認可なのに保育料が高くなっちゃって
認可保育園
¥
しかも私
パートだから
この子が
熱出して
呼び出し
くらったら
仕事休まないと
いけなくて…
給料減るわ
仕事覚えられないわで……
Dental clinic
先輩スタッフに
イヤミも言われ

そうそう 熱出して 治ったと 思ったら また出しての くりかえし なのよねー
キョーフの 37.5度!!
熱がコレ超えると あずかってもらえない
しまいにゃ 私に 伝染って 夫にも 伝染って あっという間に 一家壊滅 ですよね
あはっ ウチも それなったー
あずける時 ギャン泣きされたら 私も泣けてくるし……
ギャアアアア
マーマーマー
そんな思いして働いても 大して生活は楽に ならないし……
カケイボ
正直……… なんのために 働いてるん だろうって 思っちゃう よねー

想像はしてましたけど
そんなに大変なんですか……
軽々しく働きたいなんて言って申し訳ないデス………
わっこっちこそごめんっ怖がらせて
ちゃんといいコトだってあるから！
どうどう
私は仕事とはいえリフレッシュできているのは嬉しいかな24時間育児中心だと身体がまいっちゃうからね！
公園とかで
まったり
あとちゃんと栄養がしっかりした離乳食を園で食べさせてもらえるのはありがたいよね
私が毎日毎食離乳食を作ってたらと思うと……気絶しそうです
そうそう！最近やっと子どもが保育士さんに慣れて楽しそうに遊んでるのよねー
多分……私も子どもも慣れちゃえば大丈夫なんだと思う
今が頑張りどきなのかもしれませんね……

【ママはいつ働き始める？】

私は子どもが小さいうちに母が仕事してることに慣れてくれればいいかなって思ったのよね
母は働く
バリバリ
子は園で遊ぶ
そうそう あと早くに働きはじめれば妊娠出産のブランクで少なくなってた収入を回復できますもんね
お金少ない期
グイグイ
退職
復帰
でも 子どものことを考えるといつから働くのがいいのかってのは悩みますよね
そうなのよねー
私こないだ改めて新屋さんに相談しに行ったの
あ、FPさんです
それぞれメリットデメリットあるのよね……

産休明け
私の友達は産休後にすぐ復帰してたわ…………
産後56日でってコトですか?
スゴイ…
メリット
●職場に復帰しやすい
●収入減の期間を短くできる
デメリット
●保育料が高い
●産後の体力の回復が不安
育休使わないもったいなさも…
育休明け
0歳〜1歳
1才になると保育園入りにくくなるのよね
できるだけ育休取ってからって皆思いますからね
考えるコト一緒
メリット
●育休をフルに活用
●収入減の期間を短くできる
デメリット
●保育園に入りにくい
●認可外保育園に入った場合、保育料の負担(大)
むずかしいところよね
3歳〜
保育園は保育料下がるし
幼稚園に入れる選択肢もできるし働きはじめるいい時期かも
メリット
●幼いとき一緒にいられる
●お金がかかりはじめてから働ける
デメリット
●仕事復帰までのブランクが長い
●子どものイヤイヤ期と重なり慣れるまで時間がかかるかも
イヤァァァァ
帰る〜〜!?
7歳〜
ここまでくると育児も一段落して仕事しやすいですよね
でも学童保育に入れるとしても保育園は19時までみてもらえたけど学童は18時までだから預け先をあらたにどうするかってのが問題になるよね
預け先を求める道…先は長いわね
メリット
●しっかりと育児に取り組める
デメリット
●自分の年齢が上がって働き口が見つけづらい
●収入減の期間が長く、それまでのお金のやりくりが心配
私はここが理想なんだけどデメリットがな……

※学童保育とは…昼間、保護者がいない家庭の小学生低学年児童を放課後預かってくれる地域主体の保育活動。核家族化がすすみ、鍵っ子が増加したのを背景に90年代以降に制度化された。

悩む〜〜〜??
とりあえず次年度の保育園しめ切りまでに考えれば？
(12月)
そうします……！
でも私だってわかんないわよ
いつ会社をクビになるかわかんないし
子の熱で休みまくってるしね
私は2人目できたらまた仕事辞めるのかなーって……
正社員じゃないし
もうそんなコトを!!
そういえばうだちゃんていつから仕事再開したの？
こないだ手帳みたら産後10日で仕事してました
あっでも私の知人のママ作家は出産後翌日病院のベッドでしたそうです
番組に穴あけられない!!
PC
じゅー
うふふまあ仕方ないですよねー

まあ私の場合子どもが寝てる間にやれなくもないですからね
長くは続けられませんけどねー そんな生活
そうだけど……
今もそんな生活してるの？
いえいえ
今は週2回だけ一時保育を利用しています
（マダムに怒られてから…）
保育園
一時保育とは…
家庭での保育が急用などで一時的に困難になった場合や、育児にともなう保護者の身体的負担を軽減させる目的などで、保育園が子どもを臨時で預かってくれるサービス。比較的安価で利用できるため利用者は多い。
ファミリーサポートを利用することも
子育ての援助が必要な人（ファミリー会員）と子育ての援助ができる人（サポート会員）が登録して会員の子育てを支援する有償ボランティア組織。1回の報酬は1時間につき700円～1000円（東京都の場合）。
うだこ家の育児一週間
月 火 水 木 金 土 日
昼 パパ パパ 保育園 保育園 パパ ママ ママ
夜 パパ（店休み） ママ 両親 両親 ママ ママ 両親
夫と私、交代で仕事と育児をする 店はスタッフと夫で運営して、私は平日昼間は自宅で仕事する。
いろいろやってるのね…
自営業は保育園に入りにくいので……知恵を絞りました！
苦肉の策！
ウチはとりあえず今はコレがしっくり来てますねー
へー
家庭それぞれねー

みなさんいろいろ工夫してやってるんですね……
スゴーイ
そうねあんまりお金は貯まらないけど
ウチも。。。
ウチもですぅ
スッゴイ大変だけど……旦那と真剣に話す時間が増えたのはよかったかも
あーわかります！協力しないと厳しいですもんね！
仕事と家事育児ローテーション組んだり…
ウチは実家はもちろん義実家の協力もあおいでるわよ
6人体制!!
それはスゴイ!!
私は仕事のストレスは子どもに癒してもらって……育児のストレスは仕事に集中して忘れられるのがいいわね
なんだかんだでやりがいもありますしね
お金のためだけじゃないんですねー…
あるある

【扶養とママの年収の話】

睦子さんは正社員
美貴さんは週4パート
うだちゃんはフリーランス…
働き方もそれぞれで全然違うよね……
そうねーメリットデメリットはあると思うわ
正社員
メリット
●福利厚生が充実
●社会保険加入で公的保障額が多い
デメリット
●拘束時間が長い
●休みが取りづらく子育てと両立が難しい
パートタイム
メリット
●短時間勤務が可能。
●シフト勤務で他の用事の都合がつけやすい
デメリット
●賃金が安い
●責任ある仕事を任せられない
妊娠して辞めるマデハケンでした。
派遣社員
メリット
●希望に合わせて仕事を選べる
●勤務時間・場所を選べる
デメリット
●仕事の紹介がないこともある
●企業の都合で雇用期間が変更したり、安定しない
フリーランス
メリット
●好きな時間に働ける
●がんばった分の収入増
デメリット
●オンとオフの切り替えが難しい
●公的保障が会社員に比べ少ない

私はどんな風に働きたいんだろう……
具体的イメージないのよね
家庭によって状況も違うだろうしね
私は働かないと…だったから
仕事内容や勤務時間勤務地……何を優先するかで変わりますし
ですねー
美貴さんがパートなのはやっぱり子どもとの時間を優先させたいから？
んーもちろんそれもあるけど103万円の壁を超えたくなくってね
どんっ
103万円
103万の壁？
3月まで無収入だったからそんなに気にしなくていいくらいなんですけどね
へーかしこーい
いえいえ
?

パパが会社員・公務員の
働くママの年収の壁
前勤めてた会社が主婦パートさんが多くて……よく教えてもらってたんデスよー
150万～160万円
150万円～160万円の壁
130万円
130万円の壁
103万
103万円の壁
年収103万円（月収約8万5千円以上）を超えると所得税が課税されます。パパの配偶者控除もなくなりパパの所得税額もUP
年収130万円（月収約10万8千円以上）パパの社会保険の扶養枠から外れ、ママ自身の社会保険加入義務が発生。社会保険料の負担が重荷に。
年収150万円～160万円（月収約13万～14万円）を超えると手取額が増えます。
年収130万円～150万円まではパパの被扶養者の頃より手取りが少なくなります。
●ママ自身で社会保険に入ることで、将来の年金額が増えたり、会社の健保に加入すれば、傷病手当金などをもらえるメリットはあります。
所得税の配偶者控除38万円
配偶者特別控除が141万円マデ段階的にある（所得制限アリ）
自営の私は直接関係しないけど複雑ね
どうせならバリバリ働いて160万円超えるわ！
ちょっと待ってください
130万の壁～150万の壁のあいだは手取り額がそれ以前より少なくなるんですか？
あーコレねーパートさん達の間では常識だったよ

すご～く簡単に説明するとね……
専業ママが働く場合
年収103万円以上で
所得税が課税される
パパの配偶者控除がなくなる
配偶者控除がなくなる
えっ
年収103万円以上
所得税は払ってね
パパの所得税もUP
年収130万円以上で
パパの社会保険の扶養枠から外れる
ああっ
パパの社会保険扶養枠
あれあれっ
年収130万円以上
社会保険料は自分で払ってね
ポーン
所得税は年収100万円台ならたいした額じゃないけど社会保険料は年収130万円の負担額は18万円くらい…だからそれまでより手取り減になるの
それから年収があがると所得税・住民税を自分で払うと同時に旦那がそれまで配偶者控除を受けて安くなっていた税金が少し高くなるのよ
※配偶者（特別）控除を受けなかった場合の増税額（概算）
パパの年収400万円の場合
所得税およそ＋2万円
住民税およそ＋3万5千円
合計5万5千円の増税
そうなんだ…税金って複雑……
配偶者控除とは
配偶者を養っている納税者に一定の配慮をして税負担を軽減させる制度。
本来、税金をかけられる収入から38万円を引いて課税されるので通常よりも税金は安くなる。
だから人によってはパパの配偶者控除がなくならないように勤務時間を調整する人もいるの
美貴さん時給あげるからもう少しシフトに入ってよ
いえっ…収入増えると困るんで…
すいません
月の収入8万5千円以下を死守!!
✿これ以上働くと年収103万を超えるので
でもそんなの気にせずバリバリ働いて収入増やすっていうのも手ですよね
年収160万円を超えれば気にならないわよ
へえ…

※配偶者の年収が103万円を超えたら、一気にこの額が増税になるわけではなく、年収141万円までは配偶者特別控除が適用されて、段階的に増税されます。（但し年収1000万円以上では配偶者特別控除は適用されません）

いろんな働き方があるんですね……
そうねー
…ハァ……たくさん話せてよかったですー
そっか……
桃代さんも自分に合った仕事スタイルが見つかるといいですね
うん…色々と主人とも話して考えてみるね
私は今個人的に先輩ワーキングマザーの話が聞きたいのよねー
ウチの部署にはいなくって
いいですねーどんな生活してるのか聞いてみたい

【働くママはかしこく強く】

ごめんねー 急に 呼びだして
いいよー ウチ 近所だし
土日は男どもで ゲームしてるから ヒマなのよね
大学の同級生 佳世子《かよこ》さん
え 何？
その「育児はもう落ちつきました」って風格……まぶしいっ
何それ 大げさねー

あらためまして！佳世子です
長男 小学3年生
同い年の夫
次男 小学1年生
都内会社でSE
職場結婚
家族は夫と私と子ども２人の４人家族
入社5年目で結婚　妊娠　出産……
27歳
翌年すぐ復帰しかもフルタイム
20代後半でバリバリ働きたかったのよね
育休も結局3カ月くらいしかとらなかったわ
28歳
でも一年後また妊娠した時は……
29歳
有給もしっかり使って育休もしっかり取って復帰後も時短勤務
年齢のせいかなー
急に子どもとの時間を取りたくなったのよねー
30歳

復帰から1年で思いきって転職!!
前会社
自宅
今会社
保
自宅近くの会社で9時～5時の事務職
36歳
今は子ども2人とも学童保育に入ってるわ
こんな私でよかったらなんでも聞いて
う……うん！
うずうずうず
保育料を払って働く
長男産んだあとすぐ復帰でフルタイムなんてすごいわね
お金を結婚式に使っちゃったから貯金も少なかったしとにかく働く！って決めていたの

保育園入れるの大変じゃなかった？
ウチは産休明けの復帰で子が小さかったからそんなに…
駅から遠いトコだけど19時マデみてくれるトコ
それより保育料が高くてキツかったかなー
ヨコハマは高いよねー
保育料のこと私も気になります！
うっかり前年度仕事がんばっちゃうとえらい額になるよね
ウチは今実際かなりキツイです
保育料払うとほとんど残らない…なんてコトもありゆるわよね
バリバリ働く
結婚
妊娠発覚
仕事セーブ
産休
出産
育休
復帰and保育園
WM
収入DOWN
12月
1月
3月
7月
8月
11月
前年度の収入によって保育料決定
収入DOWNで貯金少ない状態……
まあ初年度だけがキツくて逆に次の年は安くなるんだけどね
認可だけど月５万くらい払ってたなー
11月〜3月マデね
ゴマン!?

保育料をそんなに払ってたらいくらも残らないですね……
そうね 私も保育料のために働いてるみたいだよ
あ・でもウチは4月からだから保育料もう少し安いよー
保育料高いよー……
保育園に子どもを預けて外で働く意味が……あ〜また悩む…
おかしな話よね
働きたい
保育園
働く
保育料高い
働けない…
このための保育園なのに
う〜んジレンマ…感じますね
うん そうね……まあ私はそこはあえて無視して働いたワケだけど……
働きたい
保育園
保育料高い
(けどがんばって)
働く
働かない

長～い目で見た時にはコレでよかったなーって思ってるの
おぉぉあぉぉおっ
収入DOWN
産休
出産
育休
11月
復帰and保育園
保育料5万円期
カツカツ
4月
保育料2万円～3万円
バリバリ働く!!
ガッチリ貯金
第2子妊娠
育休産休仕事セーブ
やりくりしつつしっかり貯金
次男出産
2人とも保育園
長男3歳次男1歳
時短復帰
だけど…長男3歳で保育料DOWN!・第2子は保育料半額
アレ!?カツカツで大変なのってこの期間だけ?
しかもこの間フルタイムでガッツリ貯金してる!!
2人目妊娠してからはキャリアも積んで安定の産休育休……
2人分の保育料の心配もない!!
ナニコレカンペキ～?
さすが経営学部卒…
↑文学部卒
ステキ～
いいな～
いやいやワーキングマザーの一例にすぎないわよ

だから目先の保険料の高さにとらわれるのはもったいないかなーって思います
たしかに……
私……も一度ライフプラン見直してみる！
私もっ
働くママの日常
金銭的な問題もあるけど……
私は体力的な問題が重大なんですけど……
ムツコさんの平日
6時 起床・朝食作り・子着替え
7時 朝食・洗濯・身じたく
8時 登園
通勤（電車）
朝は地獄!!
9時半 出社
15時半 退社（2H時短）
16時 なんだかんだで会社出るのこの時間
電車
17時 お迎え・買いもの
18時 帰宅・晩ごはん作り
19時 夕食・片づけ（戦場）
20時 お風呂（戦場）
21時 ねかしつけ（戦場）
0時だ 一緒にねてしまう
3時 夜の授乳
ギャ
どーん

今9カ月で離乳食も3回食になったから朝と晩の分は作らなきゃいけないし
大人の食事は別に用意しなくちゃだし……
しかもすげー食うんだこ ウチの子
せんべい
朝晩何たべたか保育園に提出するからいつもベビーフードってのもねー
BF
BF
れんらくちょう
つくしぐみ
卒乳もまだですから夜眠れなくてキツイですよね
動き回るようになって食事の用意やお風呂入れ大変ですよねー
あーみなさんそんな時期なんですね
だー
そうなんですそんな大変な時期なんです……
ムキャー
ギャ〜
あ〜っ
ブ
で……そんな大変な時にフルタイムで働くってどういうこと……？
あはは
私ですか――？

私は自慢じゃないですが……
その頃家事はほとんどしてませんでした
えー
あ平日の話ですよ土日はやってましたよ
食事は土日にまとめ作り冷凍して食べるときチン!!
もしくはベビーフードに感謝!!
ベビーせんべい食べてる間に片づけして……
買いものは基本ネットショッピング!!
大人はレトルトやできあい
そうじも土日にやって平日の留守中はそうじロボットにまかせっぱ!
たのんだっ!!
お風呂入っている間に食洗機が大活躍してくれたわね～あれは助かった!
キャッ
キャッ
ゴウン
ゴウン
ス……
スゴーイ……!!

あと夜は基本子どもと一緒に8時に寝てたわ夜中何度か起きても朝は6時まで眠れば大丈夫よ
えーっそんなに早く寝てたの？
規則正しい生活で健康には良かったわドラマとかは録りためて土日に一気見ね
ダンナさんは嫌がらなかったの……？
ウチは大丈夫同じ職場ってのもあって理解はあったし何か言われたらお前やれって感じ
ぬっ
お義母《かあ》さんは……？
ウチは義両親に面倒みててもらうコト多いんですけどやっぱ何か言われたら……と思うと手抜けなくて
いい嫁
キレイ
ごはん作る
たしかに
私めっちゃ頼ってますよー
なんならそうじもしてもらったりしてマス!!
ピカー
お!おおおおおおっ

気が引けない？
まあ最初はさすがにね
でも今は孫といられて嬉しそうだよ
家に来た時はめっちゃビックリしてましたね……
義母
!!
ただいま～
冷凍ものばかり
レトルトカレー
ネットショッピングの荷物
働くおそうじロボット
なつかしー
義母には見せたくない光景…
でも何も言わずに協力してくれたから……わかってくれてるんだと思う
あたしが作ったるっ
私が楽するために手抜き家事してるわけじゃないコト
え……？

使えるモノは何でも使って
頼れる人は誰でも頼って
私が家事を手抜きする理由……
子どもと一緒の時間を1秒でも多くとるため
……!!
お義母さんも子育ての先輩だもの子どもがかわいい時期が一瞬だってわかってくれたんだと思う
食事作ってくださってありがとうございまーす!
ばあばー
ありがと

そのためなら便利なモノを買うお金も惜しまないわ
まあ何でもかんでもは買っちゃダメだけどね
費用対効果を考えないと
私……ずっと
イライラしてました……
手のかかる息子にイライラして家事がはかどらなくて……
まってよー
もー
そのモヤモヤした気持ちわかります
母として働くからには……
使えるものはお金も人も物も使う！
家事は2の次!!
でやってきましょ！
子どもの笑顔のためと……
ママが楽しく育児するために！
おおぉお…！

【働くママだから気になるトコロ】

佳世子はもう……
かなり山の近くまで
来てるんだな……
2つの力……
身につき始めてるのかな
上の子は
将来何に
なるって
言ってるの？
小3
うーんまだ
フワフワしてるわね
パイロットとか
某ライダーとか
お金のコト
とかね
どう教えたら
いいのか悩むわ
え
お金のコト
……？

いつ 登った？
山の頂上にむかって歩いて登るのです
あれ？
私自身はもう山に登ってるんだよね？
あっ お母さん
ひろえです うんうん あのね 私って 山をね…
ふぅ！よしっ
がんばるぞっ！もう大人だしな…
自分は大丈夫か気になって母親に確認したうだひろえ35才1児の母…

母曰く「あんたは勝手に登って困ると下山してきた」

知って良かった

ワーキングマザーへの準備①

出産で中断していた仕事を再開させたいと思うママ、あらたに増えた出費を補うために働いて収入を得たいママ、働く理由は数あれど、子育てをしながら働きに出るのは、周りのサポートが不可欠です。保育園や社会保険のことなどを振り返りつつ、よりよく働く可能性を拡げていきましょう。

Q いつから働き始める？

左は子どもを持つ主婦が再就職するまでの期間を示したグラフです。まず、1年から2年未満のときに最初のピークがきて、2つ目のピークが7年～10年未満のときです。つまり、育休明けと子どもの小学校入学時に働きに出たいと考えるママが多いようです。

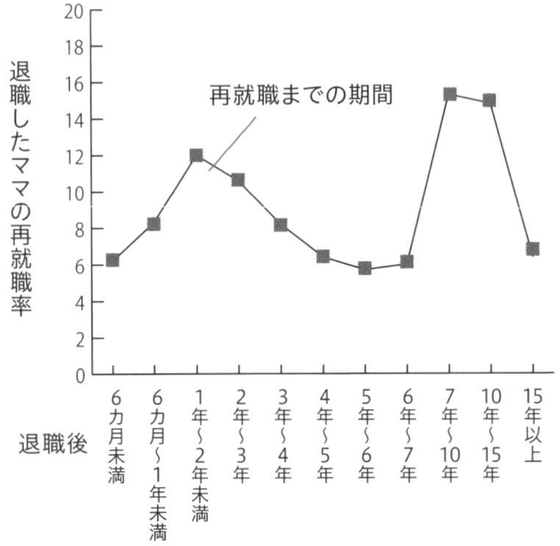

再就職までの期間
退職したママの再就職率
退職後
20
18
16
14
12
10
8
6
4
2
0
6カ月未満
6カ月～1年未満
1年～2年未満
2年～3年
3年～4年
4年～5年
5年～6年
6年～7年
7年～10年
10年～15年
15年以上

<出典>独立行政法人労働政策研究：研修機構「労働政策研究報告書 No105」より

ママの仕事復帰どうする？

◆子どもが1～2才のとき

一番の問題はやはり子どもの預け先です。とくに都心郊外の子どもの多い地区の認可保育園は定員オーバーで入れない可能性が高く、保育園探しに苦労します（待機児童問題）。なので、仕事復帰を念頭に置いているママは、出産後なるべく早めに、保育園について役所の担当窓口に直接相談にいきましょう。自治体によって保育行政はかなり異なるので、情報収集が大切です。

◆子どもが7才～10才のとき

子育てが落ち着いて、じっくり仕事復帰を考えられる時期です。自分が働きに出るとしたら、子どもはどうするのか？　学童保育を利用する一方、子どもと留守番のルールを一緒に決めるなど、しつけとして自立を促すやり方もあります。子育てにお金もかからないこの時期、将来の教育費を貯める目的で働いて収入アップを目指すママは、社会保険制度の仕組みなどもしっかり抑えておきましょう。

知って良かった

保育園

各自治体によって、差がある保育料

認可保育園の保育料はどの自治体でも、前年の所得税額に応じて決めています。しかしながら、所得税額の基準自体は、各自治体によってバラバラです。左の表は東京都の23区の保育料ランキングです。（2008年3月時点）

認可保育園の保育料が安い区ランキング

（東京都の場合）

①渋谷区	1万2700円
②中央区	2万1800円
③新宿区、中野区、練馬区、港区、目黒区	2万5500円
④板橋区	2万8400円
⑤墨田区	2万9100円
⑥杉並区、台東区、千代田区	2万9200円
⑦世田谷区	3万円
⑧大田区	3万500円
⑨文京区、葛飾区、北区、荒川区	3万1000円
⑩足立区	3万1500円

となりの芝生ホームページ　2008年3月より

こちらは「3才未満児（きょうだいなし）」を預けると仮定し、夫が会社員、妻も会社員（もしくはパート）で給与所得があるとして、所得税額16万8千円支払ってる一般家庭をモデルとしています。（ちなみに、同じ基準を漫画の舞台である横浜市にあてはめると保育料は4万7500円です。）このように各自治体によってサービス内容がかなり異なるのが保育行政なのです。

保育園に入れない!!

定員オーバーのため、保育園に入れない児童を待機児童と呼びます。働きに出る予定なのに、認可保育園に預けられなかったママにとって、頼りになるのが無認可保育園の存在ですが、その料金は、認可保育園よりも割高（6万円～8万円）です。近年、これらの不公平を是正するため、無認可保育園に子どもを預ける家庭への各自治体からの補助金が拡充してきているので、働くママは必ずチェックしてください。また、無認可保育園に預けて働きに出ることで、翌年の認可保育園の審査が優遇されて入園できることがあります。各自治体で独自の審査基準があるので、窓口で相談してください。

子どもの保育料をサポートする制度

◆私立幼稚園就園補助金

私立幼稚園に子どもを通わせる場合に支給される補助金。規定の所得限度額を超えてない場合に対象となります。

◆認可外保育施設保育料助成制度

無認可保育園の保育料負担を自治体が支援してくれる制度。自治体によっては、対象となる保育園の指定がある場合もあります。

知って良かった

ワーキングマザーへの準備②

税金と社会保険について知る

もし現在、パパの社会保険の扶養になっていて、これから社会に出て働きに出るなら、税金と社会保険について、ポイントをおさえて知っておくと役に立ちます。

会社員や公務員のパパの扶養に入っている専業主婦が働く場合、年収が130万円を超えると社会保険料の支払い義務が生じます（正社員の4分の3以上働いても社会保険の加入義務が生じます）。また、年収100万円で住民税、103万円で所得税の課税が始まり、パパの税制上の優遇も少なくなって、パパの税負担もアップします。

これらの取り決めのため、一定の年収ゾーンでは、年収は増えても手取り収入が減る逆転現象がおきます。

ママの年収アップに伴う夫婦の手取り収入の変化

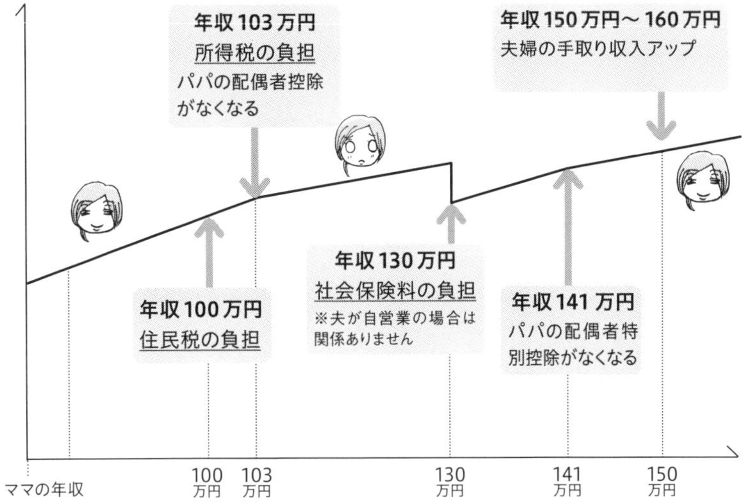

年収103万円
所得税の負担
パパの配偶者控除がなくなる
年収150万円～160万円
夫婦の手取り収入アップ
年収100万円
住民税の負担
年収130万円
社会保険料の負担
※夫が自営業の場合は関係ありません
年収141万円
パパの配偶者特別控除がなくなる
ママの年収
100万円
103万円
130万円
141万円
150万円

社会保険と税金の加入支払い義務

保険料・税金の種類＼年収	103万以下（月収8万5千円以下）	130万円未満（月収10万8千円以下）	130万円以上（月収10万8千円以上）
雇用保険	△（1週間に20時間以上働くと払う必要あり）	○	○
社会保険料	△（正社員の3/4以上働くと払う必要あり）	△（正社員の3/4以上働くと払う必要あり）	○
住民税	△（年収100万円以下は支払い義務なし）	○	○
所得税	×	○	○

配偶者控除と配偶者特別控除

収入がない配偶者（一般的にはママ）を扶養している場合、パパは税金の負担を軽減されていますが、ママの収入が一定額を超えれば、軽減されていた部分の所得税（38万円）と住民税（33万円）は、通常通り課税されることになります。これが配偶者控除のしくみです。ただし、一定額を超えてもいきなり控除額がゼロになるわけではなく、引き続き配偶者特別控除が使えるので、段階的に税負担が重くなります。

右ページグラフでは、ママの年収が103万を超えるとパパの配偶者控除がなくなり、141万円を超えるとパパの配偶者特別控除もなくなります。なお、配偶者特別控除は、パパの年収が1000万円以上の場合は適用されません。

パパの増税額
（ママの配偶者（特別）控除がなくなった場合）

パパの年収	所得税	住民税	合計
300万円	2万円	3.5万円	5.5万円
400万円	2万円	3.5万円	5.5万円
500万円	4万円	3.5万円	7.5万円

（上記金額は概算額です）

パート勤務の社会保険について

2016年10月から、従業員501人以上の企業で働く場合、労働時間が週20時間以上、月収が8万8000円以上あれば、パート勤務でも**健康保険**と**厚生年金**に加入することが決まっています。

長期的視野で働く

収入をアップさせるか、扶養の範囲内で働くかは個人の選択に任されています。しかし、近年は社会制度の見直しが相次ぎ（パート勤務の社会保険参照）、これらの優遇措置についてもいつまでもあるという保証はありません。パパの年収の飛躍的なアップが見込めなければ、ママの収入をアップさせて2つの収入を柱として確立するのは、現実的な選択といえるでしょう。

社会保険に加入するメリット

健康保険

傷病手当金・出産手当金がもらえる

厚生年金保険

老齢年金・障害年金の年金額が増える。

雇用保険

失業給付金、育児休業給付金、介護休業給付金がもらえる

第６章　子どもに知って欲しい「お金のこと」

おかーさん
ファミコン
買ってよー
あー？

ウチはビンボーだから買えん！
若かりし頃のウチの母
なんで～？キョーコんちは買ってもらっとるだよ～
妹
よそはよそ ウチはウチ
おかーさんのケチんぼーッ
ほだよケチは美徳だてすばらしいっ

Wii
ゲームソフト
PS3
DS
DS
おそらくライダーの変身ベルト各種×2
その系のオモチャの山
カードゲーム?のカード?
技の表?
カードファイル①
カード②
デッキファイルってやつ??
今の子って……育てるの大変だよね
あー……散らかっててゴメンねー
数日後……
佳世子の家
ウチは2人いるからおもちゃも1つだけってわけにはいかないのがね……
スピード倍増で
そっかそうだったね
私がいくら買わなくてもじいじばあばが買っちゃうし……

あ でもね……こないだ ひろえに ボヤいて ホント よかったわ！
前章ラスト
紹介してくれた FPの新屋さん！
おおお……!!
すっごい色々 教えてくれたよ
それはよかった！ 紹介したものの この手の話って 相談していいのか わからなかったし
うん……私も不安 だったんだけど
「子どものおこづかい教育」って
LET'S STUDY MONEY!
今はわりと 相談受けるそうよ
へぇー そうなんだ どんな感じ だった？

【必要なモノ？欲しいモノ？】

まず子どもには
お金の扱い方を知って
もらうために
4つのお金
について話を
しましょう
佳世子が
新屋さんに
見えた……!!
フフフ
それくらい真剣に
聞いたってコトよ
4つのお金
1 必要なものを買うお金
NOTE
ノート
えんぴつ
ケシゴム
2 欲しいものを買うお金
ゲーム
おかし
GUM
まずはこの
2つの区別!

コレ大人でも分けて考えるの難しくない？
文房具買うお金ちょーだい☆
ハイハイ
必要なものってお小遣いじゃなくて親が出しちゃうコト多いのよね
ウチもそうだったわ
だけどこの2つをしっかりと分けて理解させた上で
NEEDS 1
WANTS 2
お小遣いでやりくりさせるのがいいんですって
へ〜たしかに！それだけでお金の基本的なことを理解できそう！
「何がどれだけ必要か」「それはいくらかかるか」…とか！
この2つに加えて
4つのお金
3 1年以上とっておくお金（貯金）
GAME
大きな目標に向けて貯める
4 人のために使うお金（寄付）
ぼくのお金が困ってる人を助ける…!!
震災義援金

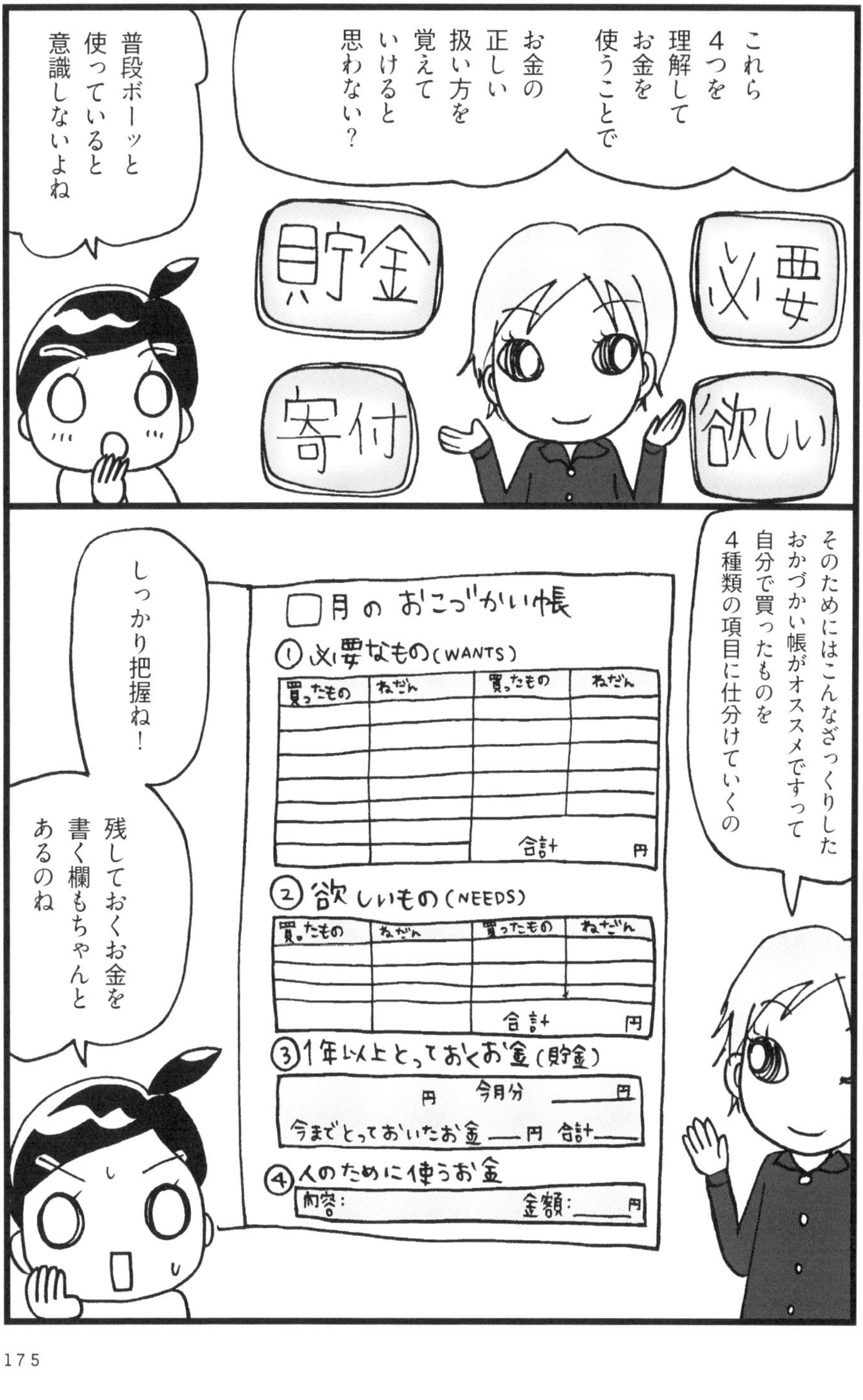
これら4つを理解してお金を使うことでお金の正しい扱い方を覚えていけると思わない？
必要
欲しい
貯金
寄付
普段ボーッと使っていると意識しないよね
そのためにはこんなざっくりしたおかづかい帳がオススメですって
自分で買ったものを4種類の項目に仕分けていくの
□月のおこづかい帳
①必要なもの（WANTS）
買ったもの ねだん 買ったもの ねだん
合計 円
②欲しいもの（NEEDS）
買ったもの ねだん 買ったもの ねだん
合計 円
③1年以上とっておくお金（貯金）
円 今月分 円
今までとっておいたお金 円 合計
④人のために使うお金
内容： 金額： 円
しっかり把握ね！
残しておくお金を書く欄もちゃんとあるのね

この話してみて子どもたちどうだった？
①と②の区別はなんとか……まあ 親が一緒に仕分けしてやる必要がしばらくあるわね
NEEDS
WANTS
コレはこっち
コレはこっちよ
へえ〜
③のお金を貯めておくことはまだピンとこないみたい……時間かかるわね
貯金？
いつコレ買えるの？
貯金
貯金
今まではじいじとばあばがポンっと買ってくれたんだものね……
④の寄付することはこないだコンビニのレジで募金箱見つけて……
次男 小1
おかしは自分で買うのよー
募金
有《あ》り金《がね》全部入れてたわ
ちょっとおかしはどのお金で買うのよ
ざっばー
募金
えっっ…
あーっ!!
後悔してなかった？
結局私も募金したことにして100円子どもにあげたわ

こないだ
とりあえず
１週間分の
集計して
みたんだけど……
長男
1円も
使わず!!
次男
1円も
残らず!!
どっちの
子どもにも
バランスが
大切なんだよー
って伝えたわ
へー!
次男くんに
シンパシー…
お小遣い帳かー
そんな風にウチが
お金の話を
するなんて
ずいぶん先なんだ
ろうなー
ぶぅぁー
そんなこと
ないわよー
実際私は
後悔したのよ
もっと小さい頃から
話しておけばよかったなーって
えっ

【お金はどこから来るのか？】

ウチの子来月やっと1才なんだけど……
いや…まあ心がけの話よ！まだいいんじゃないのーって私も思ってたけどね
三つ子の魂百までっていうし
だってね……新屋さんに言われたの
お子さんに次のことを聞いてみてください
はい……
でね……言われたコト聞いてみたの
お金ってどこからやって来るの…？
A《エー》T《ティー》M《エム》!
現金自動預け払い機

ショックだったわ……
子どもたちは
お金ってのは
ATMに無限に
あると思って
やがったの!!
ママが出さないだけでしょ
えええええっ
そ……そっか……
そうなのか子ども
って……？
でもそれも
新屋さんは
お見通しだったわ
もしきちんと
理解できて
ないようでしたら
こんな話を
してみてください
やあ! ボク
オカネくんだよ
OKANE
ボクのサイフの
オカネくん
ボクのおさいふにやって来たお金くん
君はどこから来たの？
パパとママがおしごとしている
会社から来るんだよ

ボクはパパとママがおしごととして
稼いだお給料なんだ
OKANE
パパとママがおしごと
しなかったら
ボクは来てなかったんだよ
――子どもたち コレだけで
ビックリしてたわ……
お金くんは
君はどこへ行くの?
だがしや
君たちが
使ってくれたら……
流れていくのさ
ずっとずっと
BOOKS
満タンで
BOOKS
ガソリンスタンド
給料
流れていくんだ
大きな大きな
BANK
貯金するわ
融資受けた
BANK
商談成立!!
カンパニー
流れにそって

HOME
そして……
また君たちのところに
来るんだ
やあ!
お金くん……
戻ってきて
くれたよ!
ボク
たち……
大きな流れの
中にいるんだね
なーんて言ってたわ
ボクのトコに来てくれてありがとー!!
そっかー
今って
お金の姿形《すがたかたち》って
見えにくい時代
なのかもね
キャッシュレスだったり
ツウハンだったり…
私今からでも
息子にちゃんと
見せておこう!
オカネ!
あばー?

【お金がなぜ大切かを学ぶ】

ここのパン
おいしいのよ
買って
行きましょ
パン
……で
私たちは
この店
では
「消費する
人」に
なるわけ
よね
いらっ
しゃい
ませ～
そして
お店には
「働く人」
がいて……
おいしい
パンを
作って
ますよ～
「作る人」
……つまり
価値を
生み出す
人がいる
ここに
パン屋を
出せば絶対
流行る～
よ～し！
売地
そして忘れちゃ
いけないのが
お金を出した
人……
「投資した人」
もいるのよね
社会にはこうした
「役割」があることを
日々生活の中で
子どもたちに
話すようにするの
へ～
おもしろい
かも！
他にもね……
お金を
払う人
お金を
受け取る人
パン
モノを
買う人
売る人
この仕組みを
理解できると

経済の「おもて」と「うら」を教えてあげられるかなって
おもて
家賃を払う人
お金をあずける人
雇う人
うら
もらう人
あずかる銀行
雇われる人
BANK
わぁーすごい世界が広がるね！
単純な分類って会話のネタにいいわねー
わかりやすいし面白いから子どもも真剣に考えるわ
パン
息子たちとフリマに出てみようと思ってるの
へーフリマいいな！
それで今度ね……
パンandデリ

学ぶには実践してみるのが一番かなーって
ボクが使ってたオモチャ
いくらで売れる？
パパの服
ボクの服
もう着ない服
いくら売る？
売上でほしいものを買う
新しいゲームソフト
そのためには何をいくらでどれだけ売る？
ボクが描いた絵
売るのにいくらかかる？
出店料
車の駐車場代
お昼ごはん ドリンク代
値付け楽しそう！
売れる不要品あったらちょうだいね
あ…
佳世子からもらったおさがりのベビー服！
もうウチの着れないから出すわ！
ボロボロで売れないわよ…？
……そっか

【子どもは親を見て育つ】

Happy 15th Birthday!
ヘーフリマ出すんだ
いいじゃん 楽しそうだ
ねーウチも 来年くらい やってみようよ
そうだね 商売人の 親として 教えるコトは 教えないと な……
うーん…… わかるコトを わかるように 教えてね……
いいか 原価率は 20%以下だ!!
あば〜?
よしっ 準備完了!
こっちも OKよー
まぶー?

ハイ じゃあ
スプーン
ペン
サイフ
この3つで……
行けー!!
だすだす
すだすだすだすだすだす
サイフ取って サイフ! あぁっ やっぱり スプーンか～
ぱく
食いしん坊 確定だね
これは……
選び取り
赤ちゃんが1才になったときに行うイベントです 複数の品の中から赤ちゃんが最初に取るもので将来の職業や才能を占います
並べるものは家によって様々
スプーンやはしなど
食べ物に困らない。料理人
そろばん
商売人
ペン・筆
物書き
辞書
物知り、勉強家
サイフ
お金に困らない
など!!

もう1才かー
長かったような
早かったような……
一升餅
背負って
お祝い
大きくなった
よねー
コテッ
ドスッ
新生児の頃が
なつかしいわ
そうそう
こないだね
お菓子
食べてる時に
いいな~
パパにも
ちょうだい
――って
言ってみたら

ハア？
コレ
ボクのでちゅけど？
なんであげなきゃ
いけないの？
わあ〜
ママに
ケチなとこ
そっくり
って思ったんだ
よねー
えっ
私ッ!?
私そんな……
ケチだけど……
子にマネされるほど
かな！
いや〜1才児でも
見てるトコ見てる
と思うよ〜
ホント……？
気をつけよ…
ケチな男には
なってほしく
ないな——
そういえば
そうだった
かな

いっつもウチは貧乏だからってなーんも買ってくれなかったお母さんだったけど
文句も言わず私を東京の私立大学まで行かせてくれたんだよね
あの頃は気づかなかったけど
家事して
育児して
仕事して
やりくりして
私の成長を後押ししてくれてたんだね
あの頃のお母さんのがんばる姿は
今
子育てする私の励みになっています

今度は私の番なのかな……
親が子に
してあげられること
等身大の
その姿を
見せること
じい…
見られとる…
まあでも
できれば
ケチじゃなくて
節約上手な
ママってことに
してほしいな
あはは
そうだねー
食べよ食べよー
たのむよ…
ばぶーっ？

知って良かった

子どもに教えるお金のこと

お小遣いは子どもの権利ではありません

お金についての教育は、親自身も自信を持って教えられないという理由で、敬遠しがちな教育です。しかしながら、幼児期のお金との接し方で、子どもの将来の金銭感覚が変わってきます。大人になってお金に苦労しないためにも早いうちから、お金と触れあう環境を作ってあげましょう。

そのためには、お小遣いを使った教育方法が一番身近ですが、ここで間違えたくないのが、子どもにお小遣いをあげる意味。お小遣いというのは子どもの権利ではありません。あくまで金銭教育の一環として、お小遣いを与えましょう。

お小遣い教育 親が気をつけたいこと

◆おねだりに負けない

おねだりをされて物を買い与えたりしてはいけない、とはわかっていても、その時の気分によっては、おねだりに負けてしまうこともしばしば。しかし普段お小遣いを与えている場合は、パパやママの買わない我慢も大切です。早い内に自分のお小遣いの中からやりくりして買うことを覚えさせましょう。

◆お小遣いのルールを決める

これは、どんなルールでも構いません。たとえば、与えるお小遣いの額や毎月必ず決まった日に与えるなどのルールを作ってください。ルールはそれぞれの家庭にあったものでいいですが、そのルールを守らせて、その与えられた自由の範囲内でやりくりをすることを覚えさせましょう。

子どもの1カ月当たり小遣い額

（単位：円）

	小学校			中学生	高校生
	1～2年	3～4年	5～6年		
全体平均	553	860	1370	2513	5651
年収 300 万円未満世帯	500	923	1196	2333	5466
年収 500 万円未満世帯	578	826	1377	2482	5287
年収 750 万円未満世帯	610	822	1313	2506	5945
年収 1000 万円未満世帯	433	1178	1167	2339	5179
年収 1200 万円未満	300	857	3786	2500	4583
年収 1200 万円以上	463	1025	800	2500	5313

金融広報中央委員会「家計の金融資産に関する世論調査」（平成 23 年）

上の表が示すように、年収の額と小遣いの額は比例しません。よその家が多額にあげているからといって、流されるのではなく、自分の家の考えに沿って額を決めるとよいでしょう。

お小遣いで貯金の習慣をつけさせる

1 自分の財布を持たせてみる

小さいうちから自分の財布を持たせてみましょう。買ってもらうのではなく、自分の財布から出すとなると、本当に必要かどうか、自分で考えるようになり、やりくりを肌感覚で覚えるようになります。

2 何に使ったか記録させる

お小遣いを与えるなら、お小遣い帳も一緒に渡しましょう。自分が買ったものを記録して、さらには、「欲しかったもの」か「必要なもの」かを自分で仕分けできるようにさせましょう。

3 自分のお金を貯める

たとえ毎月貯める金額が500円であっても、半年で3000円になります。それが習慣づけば、目先のことだけじゃなく、少し未来のことまで視野に入れて判断できるようになります。

4 お小遣い−貯める金額＝使っていい金額

貯金する基本の考え方は大人も子どもも同じです。先に貯金する金額を引いて残りでやりくりする習慣さえ身につけば、上手にお金が貯められます。

5 使う練習は子どもにまかせて

「費用対効果」というと難しく聞こえるかもしれませんが、自分が買ったものがどれだけ役に立ったかを後から客観的に判断するのは大切なことです。そして、「これは無駄遣いだったな」という後悔は、貴重な経験になります。この経験は若いうち、小さな金額で覚えさせるのがもっとも賢いやり方です。ですから、子どものお小遣いの使い途は、とやかく干渉せず優しく見守ってください。

☆注意して欲しいこと

「成績が上がったら小遣いあげる」や「家のお手伝いをしたら…」とお小遣いを交換条件のように提示するのはおすすめできません。成績をあげるのは自分のため、家のお手伝いをするのは家族として当然のことと考えて欲しいからです。勉強や家のお手伝いを労働としてとらえて、お小遣いを労働の対価と捉えてしまわないように気をつけて教えましょう。

エピローグ　お金では買えないもの

うわぁぁあん!!
ヤダヤダヤダーッ!!
買って買って!!買って!!よオオオッ
ダメッ!!ホラ行くわよっ
ギアァぁぁ
私もアレやったな……
にげろっ
うぎゃぁあぁあ
ウチの子がやったら私はどーすんだろ……

——大丈夫
わかる時に わかるように 教えてあげて
教え方を 考えて
その時の状況に 柔軟に対応して
ほら コレ 自分の サイフでしょ
中に100円が ありまーす コレで 買えるものは なんでしょう?
ミキさん…?
使っちゃったの?
じゃあもう 買えないね お金は 使えば なくなる ものなの
ムツコさん…
使わなかったり お釣りを 貯めて おけば 次は 少し高い物も 買えるのよ
モモヨさん…

みんなちゃんと子どものためを考えて……
お母さん
ぼくねーお絵描き好きなの
クレヨン買って?
お~さすが私の子……ってまあそうね
じゃあ……お金を渡すから
自分で買ってみる?
自分で買うの?

うん
お母さんも一緒に
お小遣いの使い途を
考えるから
少しずつ
やって
みようね
ハーイ
いつか
君がこの手を
離れるまで
親として
日々
勉強よー
そばを
歩いていきます
ベンキョー
くすり
本 BOOK
お茶

おわりに

たくさんの不安を抱えてスタートした私の子育てですが
おかげさまで、肩の力が抜けて、未来が楽しみになりました。

生まれたばかりの時は、何もできず、存在全てで私を頼ってきていた子どもが、
今では1歳を過ぎて、自分の意思を表現するようになってきて。

子どもの成長は著しくて、これだ！と思った正解が、
明日には通用しなかったりします。
なので、毎日毎日、考えて、選んでいくんだろうなと思います。

こんな気持ちにさせてもらえて、ありがたいです。

監修してくださり、貴重な話をたくさんお聞かせくださった、泉さん、新屋さん。
いっぱい話を聞かせてくれた、ママ友たち、そしてマダム！
原稿を手伝ってくれた、かほちゃんとまなみさん。
独身男性なのに、子育て情報に超詳しくなった、編集永井さん。

そして、夫と息子のお陰です。

感謝!!!

この本で描いたことが、子育てママさんの気持ちを、
ふっと軽くしてくれたら、幸いです。

最後まで読んでくださって、ありがとうございました。

うだひろえ
2012年10月

ブックデザイン 名和田耕平デザイン事務所
販売 津川美羽
制作 小林容美
編集 永井 肇
印刷 浜野広一(中央精版印刷株式会社)
資材 齋藤浩之(中庄株式会社)
記事レイアウト制作・写植アシスタント 永野久美
special thanks to うだひろえと同じ病院で出産したママ友達の皆様

ママと子どもと お金の話

2012年11月1日 初版第1刷発行

著者
うだひろえ

監修者
泉正人
ファイナンシャルアカデミー代表
新屋真摘
(株)エフピーウーマン 取締役

発行人
鶴巻謙介

発行所
サンクチュアリ出版
〒151-0051 東京都渋谷区千駄ヶ谷2-38-1
電話 03-5775-5192(代表) FAX 03-5775-5193
http://www.sanctuarybooks.jp/ info@sanctuarybooks.jp

印刷所
中央精版印刷株式会社

Printed in Japan ISBN978-4-86113-974-1